庫

裁判長！ ここは懲役4年でどうすか

北尾トロ

文藝春秋

裁判長！ここは懲役4年でどうすか

はじめに

裁判の公判を傍聴するようになって2年たつ。だいたい月に4、5日行くから、2年でざっと100日。短く見積もって平均滞在時間を3時間としても、300時間を東京地方裁判所内で過ごした計算だ。

誤解を招かれそうなので書いておくと、執念深く大事件を追いかけていたとか、知り合いの裁判を見守っていたわけではない。ただただ、自分とは縁もゆかりもない事件を、興味本位に見続けていたのだ。5分で終わる判決を聞くために2時間近くかけて地裁まで往復することもあるし、朝イチから夕方まで一歩も外に出ずに傍聴しまくることもある。

そんなことをする理由はひとつしかない。おもしろいからだ。

東京地裁の刑事裁判を例に取ると、大小の法廷で一日に少なくても数十、多い日は百以上の公判が行われている。そのなかには傍聴券を求めて行列ができるような、世間をにぎわす大事件もあるが、ほとんどは新聞のベタ記事にもならない、名もない人が起こした小さな事件。当事者やその家族以外、世の中にまったく知られないマイナーな犯罪が中心だ。

　ところが、このなかに思わぬ掘り出し物が潜んでいる。小さな事件だからこそクッキリと浮き上がる犯罪ドラマ。人間関係ドロドロな骨肉の争い、真面目な外見とは裏腹に露出する性癖、辛抱の限界を越えて爆発する殺意。傍聴すれば、ひとつの事件が起きるまでの背景を知ることができるのだ。まさに人生丸出し。ワイドショーなどとは比較にならないリアルさである。

「なるほど、そうだったのか」

　傍聴席で深く納得する瞬間がたまらない。

　加えて、裁判は戦いでもある。被告が犯行を否認している場合はもちろんだが、全面的に認めているときでも、双方の代理人である弁護士と検察官の、刑期をめぐるプロ同士の駆け引きがある。事件がショボくても、検察と弁護人が過去に何かあったのかと思わせるほど燃えている、《遺恨試合》のような裁判もあるのだ。また、反省ぶりを表す被告の弁明や開き直り、ときには公判の流れを左右する証人による証言も聞き逃せない。

　裁判官は法律というルールを元に、反省具合や出所後の身の振り方なども加味して最終的な決定を下すのだが、判決の落としどころにも注目だ。検察側の求める刑に対し、裁判官はどう出るのか。そのまま認めるのか、あるいは被告の事情をくんだ温情判決を下すのか。犯人にとっても被害者にとっても納得できる裁きはどのあたりか……。見どころ満載なのだ。

だから、味のある風貌の被告に心惹かれたり、被害者の肉親が発する《被告憎し》の気持ちに同調したりすると、次回もまた駆けつけざるを得ない。もちろん、涙、怒り、哀しみ、喜びなど、ドラマを盛り上げる要素がビシッと揃った公判に出会うと、判決まで追いかけたくなる。

だが、あるときふと疑問が湧いた。

傍聴席にいる自分と、被告席にいる男とは、実はそれほどの違いはないのではないか。ひとつ歯車が狂えば自分だって犯罪者として裁かれる可能性はあるのだ。

以来、拍車がかかった傍聴体験のなかから、とくに印象深いものをピックアップしたのが本書である。法律も知らない素人によるリポートだが、少しでも裁判を身近に感じてもらえればと思う。

明日は我が身という言葉もあるのだし。

目次

第1幕　こいつ、絶対やってるよ

　ぼくは今日まで裁判と無縁の人生を過ごしてきた。裁判所の前を通ってもとくに興味を持つことはなかったし、法廷物の映画を観ても、それはスクリーン上の芝居にすぎない。大事件で、傍聴席の権利を求めてマスコミが行列を作るニュースも他人事である。

　ところが先日、長年、交通事故の民事裁判で争っていた知人に判決が下り「実質上、負けだ」と聞かされた。被害者は知人の母親で、普通なら運転手に非があるところだが、両者痛み分けの判決が下りたという。示談交渉で強気に出すぎて裁判となったが、ゴネすぎて裁判官の心証を悪くし、結局は思うような補償金を得ることができなかったそうだ。「まったく裁判ってのはドロドロの戦いだよ」と知人は嘆いた。

　そうか、ドロドロか。民事でそうなら、刑事事件は必死の攻防が行われるに違いない。なにしろ、判決結果ひとつで自由の身になったり、刑務所入りになったりするのだ。最悪死刑まである。これ以上にリアルな場所が他にあるだろうか。いや～、これまで無関心だったのはうかつだった。

　裁判所はどんなところなのか。どんな事件が扱われ、どんな人間ドラマが繰り広げられるのか。見たい。ナマナマしい人間ドラマをこの目で見てみたい。聞けば、傍聴券の奪い合いになるほど人気の裁判はまれで、その大半は誰でも傍聴できるとのこと。傍聴マニアもいるらしい。

考えていても何もわからない。現場に行ってみるしかないな。ぼくは《傍聴席の人》になるべく、家を出た。

目が死んでるんだよ

足を運んだのは、霞ケ関の東京地方裁判所（以下、地裁）。いやぁリッパな建物で……ってお上りさんかよ。とにかく何もわからない身としては、受付で本日のスケジュールを調べるところから始めなくてはならない。当日の民事・刑事裁判の予定が一覧表になっているのだ。

狙いは当然、刑事事件。それぞれの項目には《詐欺》《恐喝》などの犯罪ジャンルと被告の名前があった。脇にある「新」「続」「判」の文字は、新規、継続、判決の略だと思われる。

ぎっしり埋まった表のなかから、どれが見応えがあるか考える。数が多いのは《覚醒剤》だ。シャブ中がわけのわからないことを叫びながら暴れるなんてこともあるのだろうか。あと《私文書偽造》ってのもけっこうあるが……うむ、わからん。

周囲を見ると、いかにも裁判慣れしたグループが、手帳に今日の傍聴予定を書きこんでいる。すかさず接近して聞き耳を立てた。が、法学部の学生なのか、難しい用語が飛び交いわかりにくい。とても「今日の目玉は何ですか」とは尋ねられない雰囲気だ。できれば傍聴マニアのような人と知り合いたいけど、初回からいきなり他人にすがるのも情けない。今日のところはガマンして自力でまわってみよう。

裁判スケジュールを見つつ、11時から《常習累犯窃盗》を見て昼食。午後は《覚醒剤》から入って《強制わいせつ》《私文書偽造》《恐喝》《詐欺》まで、新規、継続、判決が入り乱れたバラエティ豊かな順番を組んでみた。さあ、張り切って傍聴するぞ！

第1ラウンドは、窃盗容疑の新規裁判。指定された412号室に行くと、不人気なのかガラガラである。む、早くも選択ミスか。

すでに検察官と弁護士、司法研修生などが顔を揃え、緊迫した雰囲気に……なってないんだよ。事件が小さすぎてやる気がしないのか、だらっとしている。しかも、弁護士と検察官が、事前になにやら話し合っているではないか。おいおい、初体験でドキドキしているギャラリーもいるんだから、もっと緊張感出せよ。

待つこと数分、刑務官2名に付き添われて被告が入場。きっちり手錠をはめられている。いいね、手錠。リアルだ。逃走を防ぐためかヒモでつながれているのも、裁判の重みをかもしだす。ただなあ、被告に迫力がないよ。なんかこう、目が死んでるんだよね。

闘う意志が感じられない。

裁判官がやってきて、いざ開廷。被告は前科9犯、今回は秋田刑務所を出て仕事も住むところもなく、越谷駅の駐車場で車と財布の現金、合わせて50万円相当を盗んだ容疑。信号待ちで挙動不審だったところを居合わせた警官に職務質問されて、あっさり捕まったらしい。常習犯か。

裁判官が発言を求めると、無表情で「間違いありません」と罪を認める被告。シャバにいたって仕事もないし家もない。それなら住み慣れたムショがいいと考えているのだろうか。ムショで過ごす人生とはどんなものなんだろう。

相手が無抵抗では検察もがんばりようがない。すぐに次回公判の日時を決め、わずか15分程度で終了した。ビギナー傍聴人としては、もう少しもつれそうな展開がほしかった。ま、いずれにせよ有罪判決確実。次回は見る必要なしだ。

ぶっ殺してやるとは言ってません

午後は510号室の覚醒剤判決からスタートするはずだったが、急遽予定変更。というのも《ホリデーツアーご一行様》なる軍団が大挙して傍聴に押しかけ、すでに埋まっていたのだ。人のことは言えないが、全員ズブの素人風である。《裁判傍聴体験ツアー》なんてものがあるのだろうか。

しょうがないので、506号室の覚醒剤判決に移動。地裁の刑事裁判は4階と5階に集中しているので動きやすい。

法廷で、思わず目を奪われた。検察官が女性である。しかも若くて美人ときている。紺のスーツに身を包み、厳しい表情で裁判に挑むその姿は、テレビドラマさながら。傍聴人も口々に検察官のことを話題にしている。

つい見とれていると、不健康かつ幸薄そうな女性の被告が登場した。紺のTシャツに白いジャージ姿である。さっきの窃盗犯は青シャツに青ジャージだった。そうか、被疑者が着るものは自前なんだな。ひとつ利口になったぞ。

と、そこで裁判官が一言。

「そこの帽子をかぶった人、取りなさい」

帽子の人？　誰だよ、ってオレじゃん！　あちゃー、裁判官に叱られちゃったよ。

ま、それはともかく判決である。裁判官は被告の彼女に懲役2年6カ月、執行猶予4年（保護観察付き）の刑を言い渡した。執行猶予の理由は、被告が反省の態度を示し、今後まじめに働く誓約書を書いたこと、犯行は内縁の夫に無理強いされた面が強いこと等々。そして、裁判官が長女のことに触れたとき、思わず被告の目に涙が。う〜ん。いいものを見せてもらった。

余韻に浸っている時間はない。予定が狂ったことだし、504号室の《脅迫》事件に切り替えてウォッチング続行だ。

これは小当たりだった。事件そのものはたいしたことないが、被告が絵に描いたようなチンピラ面。上下白のジャージには〝ベルサーチ〟のロゴが光り、左手の小指は詰められている。目つきも悪く、誰もが一目で「やってるわコイツ」と頷くキャラだ。

ところがこの男、脅迫文句について、裁判官に異議を申し立てたのである。

「自分は初回、ぶっ殺してやるとは言ってません。言ったのは4回目のときです」

だんだんエスカレートし、興奮して心にもないことを口走ったという筋書きを通したいらしい。

「では（初回は）何と言ったのですか」

裁判官は当然突っ込む。

「自分はあのとき、文句を言いに行こうと思いまして……」

「ですから、そのときあなたは何と言ったのですか」

「そ、それは……ふざけるな、だったと思います」

うはは、間違いなくぶっ殺すと言ってるって。

ここでは実父や雇用主が男をかばう証言も行われた。

「今度こんなことがあったら私が体を張って止めます」と言う年老いた父親。雇用主は「彼は非常にまじめな男です」と無理のある発言。苦しいが、話がもつれたので次回は

1カ月半後、被害者側の証人が登場する運びになった。なるほど、こうやって裁判は長引いていくのだなあ。

おいおい、退室はないだろう

3時。本日最も期待が持てる《強制わいせつ》事件である。この時間帯、他はたいしたことがないので満員になることが予想される。その手は食うかと、前の裁判から傍聴、なんとか席を確保する（裁判は席が埋まった時点で傍聴不可となる。立ち見はできない）。継続裁判なので、事件の概要はわからないが、入室した被告を見るなりまた思った。

（こいつ、やってるわ）

イガグリ頭にギョロ目、無精ひげ。目の下にはクマができている。この男が変質者だと言われても、ぼくはまったく驚かない。さっきのチンピラもそうだが、顔に犯人ですと書いてあるように見える。手錠をされていることもあり、どうしても気持ちが検察側に傾いてしまうようだ。

この裁判は、検察側の証拠物件提出から始まった。被害者の衣服である。

「このコートに見覚えはありますか」

いいぞ、本格的だ。これでこそ裁判だ。

被告は全面的に否定。見覚えなしと証言する。もつれている。明らかに闘いの体勢。

弁護士も2名いて気合いを感じさせる。

定かではないが、どうやら容疑は電車内でのチカン行為のようだ。否認されると検察側も立証に手間取りそうだし、何とかなると踏んでいるのか。それとも本当にえん罪なのか。

傍聴席には被害者の家族らしき顔も見え、ピリピリした空気が流れている。

「では証人を呼びます」

証人はズバリ、被害者。やった、検察側が勝負に出た。息詰まる対決なるか。初めての裁判所体験で興奮気味のぼくも、ここへきて最高にテンションがあがってきた。

証言は、プライバシー保護のため、被害者の姿が見えないよう衝立が設置され、そのなかで行われた。傍聴席からは声しか聞こえない。

弁護側が「さしさわりのない質問をしたい」と申し出て、被害時の車内状況を尋ねると、しっかりした声で答が返ってきた。被害者の腹は据わっているようだ。

すると弁護側はメジャーを取り出し、スカート丈を計ることを要求。理由はわからないが、ねちっこさを感じる行動だ。これから、どう触られたかなど、微に入り細に入り質問責めにしてやる、少しでもスキがあったら容赦なくえん罪を主張するぞというプロとしての決意を感じさせる。

ところが、ここで裁判官は「傍聴人は退席するように」と命じるではないか。どうやら被害者は証人非公開措置を申し出たらしい。遮蔽《しゃへい》措置だけではなく、やりとりそのものもオフレコにするということだ。

シュルシュルと気持ちがしぼむ。事情はわからんでもないが、ここまできたら傍聴人の目の前で正々堂々と対決してもらいたかった。

暗い気持ちになったのはその後に覗いた交通裁判。被告は深くうなだれ、いまにも泣き出しそうである。それがまた、実直そうなオヤジさんなんだなあ。

この事件は女性裁判官が担当で、少し同情しているのか「保険の方はちゃんとやってるの」などと質問していた。死亡事故か何かの裁判にしては傍聴人が多いのは、オヤジさんがタクシー運転手だからではないか。弁護士も、この種の事件を扱い慣れた様子だし。

席を埋めているのは運転手仲間なんだな。避けられない事故でも殺してしまえば人生台無し。明日は我が身、他人事じゃない。そんな思いで駆けつけてきたんだろう。

最後に覚醒剤事件を見終わると、時刻はすでに5時近い。この事件の被告は保釈中だったので、家族と一緒に帰りのエレベータに乗り合わせた。さっきまでの殊勝な反省面はすでになく、つつがなく裁判が進み、執行猶予付きに持ち込めそうだと安心している表情。

エレベータを降りると、被告は深々と弁護士に頭を下げ、楽しげに引きあげていった。

だが、この男だって次回の判決で思わぬ実刑をくらわない保証はない……。

★これが初めての傍聴体験、まったくの白紙状態だった。読むとソツなく見てまわっているように思えるだろうが、段取りが悪いため、長い廊下をあちこちウロウロし、エレベータを上り下りしてばかりいた記憶がある。この日、もっとも衝撃的だったのは、被告の手に手錠がはめられていたこと。もし無実だった場合、こんな姿を傍聴席にさらされる被告の屈辱は相当だと思う。

第2幕　絵に描いたように地味な女

2001年8月20日のこと。何気なく新聞を見ていると、音羽幼女殺害事件の公判記事がデカデカと出ていた。傍聴席で描かれたに違いない山田みつ子被告のイラストつきだ。

音羽幼女殺害事件

あわてて別の新聞を合わせ読んだところ、次回、最終弁論が行われるらしい。

この事件は、99年11月、犯人の山田被告が、知り合いの子供（当時2歳）だった若山春奈ちゃんを殺害、遺体を実家の庭に埋めた後、自首したというものだ。「春奈ちゃんのお母さんに冷たくされた」という、わけのわからない動機が騒ぎに拍車をかけ、新聞やワイドショーをにぎわせたのは記憶に新しい。

むぅ。裁判所に通い始めたばかりだというのに、もう大事件にブチ当たってしまった。正直、荷が重い。もっと《傍聴力》を高めてから臨んだ方がいいのではないか。

いや、ちょっと待て。新聞が大々的に報道するような事件なら、傍聴券ほしさに行列ができるんじゃなかろうか。

朝もやの中、限られた傍聴券を求めて殺到する報道陣。なかにはバイトに雇われた学生なども混じっていて、各社必死の構え……。これ、一度経験してみたかったんだよな。

57の傍聴席をめぐって

9月3日午前9時。報道陣に負けてはならじと我が《人生劇場》チームは現場へ急行した。抽選方法は、まず番号のついた整理券をもらい、警備員が監視する裁判所内のスペースで抽選まで待機。当たったら傍聴券と交換するシステムである。

チームといっても、ぼくと担当オガタのふたりだから、競争率次第では抽選漏れの可能性もある。その場合は、ヒマつぶしで行列に並んだら当たってしまったって感じのヤツにいくらか摑ませるしかないか。

などと考えていたのだけど、9時10分になっても定員57人に対し、50人ほどしか集まらない。さすがに9時20分の抽選時間には倍増したが、それでも競争率2倍弱。しかも、コンピュータによる抽選とかで、当選番号が発表されるだけのようだ。

ち、なんかつまらん。やっぱしクジか何かで当選をもぎとる感じでないと。それに、競争率が低いせいか、殺気立つ気配がゼロなのもいただけない。みんな、もっとピリピリしろよ。

しかし、コンピュータは冷静だ。気合いではナンバーワンのはずのぼくは、あえなく抽選漏れしてしまった。

当選者のオガタから整理券を奪い、なんとか傍聴券をゲット。10時の開廷まで時間はたっぷりだが、いい席を確保するため104号法廷へ向かう。

と、さっき表で姿を見かけた作家の佐木隆三氏がいるではないか。佐木氏といえば名うての裁判ウォッチャー。今日はオウム関連の公判もあるのに、あえてこちらを選んだというわけだ。

そりゃそうだよな。いつ果てるとも知れないオウム事件裁判は今後いつでも傍聴できるが、こっちは最終弁論。事件の格と言いますか、世間の注目度という点でも、殺人&死体遺棄だから堂々たるもんだ。

列の10番目ほどに並んでいると、すぐ後ろで佐木氏と新聞記者らしき男が談笑を始めた。内容はよく聞き取れないが、妙に甲高い佐木氏の笑い声が何度も響く。おいおい、リラックスしすぎじゃないのか。裁判慣れしているし、いちいち緊張などしていられないのはわかるけど、被害者の身内だっている可能性があるのだし、もう少し重鎮らしい威厳を見せてほしい。

9時50分、入場。入り口には鋭い目つきの係員がいて傍聴券を受け取っている。ボディチェックや荷物検査の類はない。入場後、写真撮影や録音は禁止ですと注意があっただけだ。

中に入ると約半分、被告席がよく見えるあたりが報道関係者用の席になっていた。まずい。少しでもいい席をと急ぎ足で最前列へ。

が、ここは身内の席（たぶん）らしく、移動を求められる。くぅ、出遅れたか。

いや、前から2列目に空席発見。滑り込むように席を確保して、ノートとペンを取り出すべくバッグをごそごそ。隣のオヤジが「こいつ、こなれてないな」という顔でこっちを見ている。

そうなのだ。自分でも思うのだが、ぼくの動きは洗練されていない。無駄が多いし音も立てる。

一方、オヤジを筆頭とする傍聴人の多くはもっとスマート。静かではあるが獲物を狙うヒョウのように最短距離で座席を目指し、音もなくノートと筆記具を取り出す。

報道陣でないとすればマニアか。抽選までしてこの裁判を見る連中だけに、かなりの強者《つわもの》揃いと見ていいだろう。

報道陣、遺族など事件関係者、熱心な法学部の学生、作家、そして裁判ウォッチャー。今日は傍聴席のレベルが高い裁判なのだ。

何度すれ違っても顔を覚えられない

裁判官入場で起立後、ビデオカメラによる撮影が行われた。さすが大事件だ。

検察官は、前回にも顔を見たメガネ男。いかにも冷酷非情に被告を追いつめていく切れ者風だ。すでに求刑も終え、今日は相手の話を聞く立場。やや気が抜けてもおかしくないところだが、表情は引き締まっている。何かあればすぐに出ていってトドメを刺しそうな迫力が頼もしい。

いいね。プロだね。内心は「聞くだけでラクチン」と思っているとしても、真剣勝負を闘う人間として、表情はキビシくありたいものだ。

一方、弁護人側は2名。男女それぞれひとりずつの布陣である。山田被告は犯行を認めており、焦点は刑期の長さに絞られた感がある。最終弁論で、どこまで劣勢を挽回し、求刑以下の懲役へと落とし込むことができるかが彼らの腕の見せどころだ。

そのために欠かせないのがふたりのコンビネーション。果たしてどんな戦略で勝負に出るのか。

撮影が終わればすぐに被告の入場となる。前方とはいえ、アングルが悪く被告席が見づらいから、被告の表情が見られるのは入場のときだけ。チャンスは一瞬だ。

きた！　山田被告だ。刑務官2名の付き添いで、手錠あり。服装は白いシャツに黒のカーディガン、グレーのスカート。ロングヘアを後ろで縛るおばさんスタイルである。

うつむいているため表情がよくわからない。これまで見てきた覚醒剤や脅迫、私文書偽造、窃盗などの被告は必ずチラリと傍聴席に目をやったものだが、山田被告はまったく見ようとしない。

わかるのは、中肉中背でものすごく地味な顔をしているということだけ。何度すれ違っても顔を覚えられないタイプである。いかにもおとなしく気が弱そうで、悪いことをしそうには見えない。まあ、そういう人間が事を起こすから「まさか、あの人が」になるわけだが。

必死で似顔絵を描いていると、すぐに最終弁論が始まった。先発は男弁護士。分厚い書類を見つつ、まずは求刑18年は重いと反論する。罪は認めるけれど、被告がことさら被害者の母親に競争意識を抱いたことはなく、マスコミの大げさな報道で動機の部分がゆがんで伝えられたという内容だ。

あとは前回、検察側が述べたことについての訂正と細かい反論。弁護側は、事件が計画的に行われたとされる点を否定し、発作的であったことを主張する。ただ、検察側の言うことはもっともだがしかし〜というワンパターンなのがつらい。

「殺害の意志はたしかにあったが、頭の中で思いめぐらせていただけで、あらかじめ計画していたわけではない。あらかじめ（春奈ちゃんを運んだ）黒いバッグを用意していたわけではない」

たまたま、被害者がひとりでいるところに遭遇して、とっさに犯行に及んだのだから突発的犯行なのだと言われてもなあ。被告は、殺した後で大胆にも遺体の入ったバッグを持って新幹線で静岡の実家まで行き、庭に穴を掘って埋めようとしたのだ。これだけでも相当なものだと思う。

新しい事実の提示はないし、素人が聞いても弱い反論。それは弁護人サイドにもわかっているのだろう。事実の訂正にとどめ、深追いはしない戦略のようだ。

流れは完全に負け戦。それはいい。でも、ヒステリックな検察側の決めつけにはひとこと言わせてもらいますよのポーズ。裁判官の心証をよくする駆け引きなのかもしれない。

この静けさはなんだ

が、弁護側は抵抗をあきらめたのではなかった。だらだらした男弁護士の後を受け、立ちあがった女性弁護士が、思いがけない弁論を展開してくれたのである。ぼく流にひとことでまとめると論旨はこうだ。

『発作的犯行を行ったのは、被告が強迫的心理状況に陥っていたから。つまりこの人は犯行時、病気だったのだ。病気が引き起こした犯罪なので、動機がうまく説明できないのも当然なのだ』

山田被告は短大時代から過食症と拒食症を繰り返す、重い《摂食障害》者だった。《摂食障害》は《強迫性障害》の一種で、リッパな病気。結婚によっていったんはおさまったものの、不安定な精神状態の種は持ち続けていた。しかも被告には《強迫性障害》による過剰適応という面が強く……。

ここらへんにしとこう。ともかく女弁護士は三段論法のような病気説明を延々と続けた。狙いが刑期の短縮なのは明らかだが、無理がありすぎる気がしてならない。まるで、すべては病気のせいみたいではないか。被害者の身内はこの言い訳をどう感じるのだろう。

傍聴席はシーンと静まり返っている。ぼくは野次馬にすぎないが、もし関係者だったら、激高必至。退席になってもいいから「ふざけるな!」くらいは叫んでしまいそうである。

誰かがそのうち暴れ出したり、立ちあがって山田被告に罵声を浴びせる。何パーセントかは、そういう盛りあがりを期待してもいた。なのに、この静けさ。いちいち熱くなるような段階は、とうに終わったのか。ドラマチックなシーンは見られないのか。

女弁護士がしゃべり終えると、いよいよ被告の番である。裁判長の「何か言いたいことがありますか?」の声に「はい、ございます」と答えて席を立つ山田被告。証人席に向かう途中で早くも目頭に手が行っている。ようやく傍聴席にも緊迫感が戻ってきた。被告はおしゃべりだった。用意してきた原稿を20分もかけて、泣きながら読みまくったのだ。

「本当は傍聴席の皆様に背を向けてお話しさせていただくことではございませんが……」

「あまりにも大それた事件を起こし、私などこのまま死んでしまったほうがいい……」

弁護士による原稿棒読みモードから、情感たっぷり、嗚咽《おえつ》混じりのトークへ。拘置所で見た夢の話まではさみこまれた見事な構成力である。今日初めて、人間らしいしゃべりに触れたような気がする。やっぱり、主役が主役らしい動きを見せると裁判も締まるね。

後半は幼稚園関係者、地域住民、お寺関係（亭主が副住職だった）、社会に与えたショックについて、さらに被害者の家族へ畳みかけるようにお詫びを連発。そして「いまの私にできることは、生涯をかけて罪を償っていくことだと思います。……合掌」でフィニッシュ！

きっちりとした《仕事》だった。プロの被告といいますか、見事に場の空気をひとりじめ。読み終えてから数秒間、場内に奇妙な間が漂ったもんな。

空虚な涙かもしれん。ムカムカしていた人もいるだろう。だが、だれきった傍聴席に刺激を与え、記者に原稿のネタを提供し、初心者のぼくに「この人は反省してるな」と思わせた力量は認めていいのではないか。再犯の可能性もなさそうだし、干支《えと》がひとめぐりする懲役12年でどうだ。

報道陣が一斉に席を立つ。残りは起立してゆっくり傍聴席を去ってゆく。席を立たないのは身内の人たちだろうか。

怒りなのか、悲しみなのか、ひとりの女性がハンカチで涙をぬぐっていた。思い切り感情を刺激されたのだろう。ぼくは改めて山田被告のトーク力に感心してしまった。

しかし、彼女の反省雨あられ陳述は、これまでさんざん行われてきたらしい。後日、佐木氏は新聞のコラムで吐き捨てるように書いていた。

『こういう〈気配り〉がこの被告人の特徴で、最後まで皆によく思われたいらしい』

裁判にはきっと流れがある。まして大事件はなおさらだ。初審からじっくり見ることを心がけないとイカンな。

★いま読むと、初めて大きな事件を傍聴する緊張感と期待感で、被告人の思うツボな反応をしていた自分に気づく。2年間以上の傍聴で、この人ほどペラペラと心情をしゃべった被告人はいない。被告人の多くは、言いたいことがあったとしてもうまく言葉にすることができないのだ。裁判という場では、言葉に詰まり、しどろもどろになり、気持ちがカラまわりするのが普通なのである。山田被告のよどみなきトークは異常であり、芝居がかっていたと、いまになって周囲の醒めた雰囲気が納得できる。なお、地裁の判決は懲役14年だったが、検察側はすかさず控訴。2002年11月、東京高裁で懲役15年が確定した。

第3幕　仲間がほしい

裁判ウォッチャーはどんなヤツ?

地裁の雰囲気にも少しずつ慣れてきた。受付で《本日の事件》からめぼしいものをピックアップ。手帳に書き写してスケジュールを作り、傍聴席へと進む流れもスムーズだ。最初はいちいち興奮したのに、いまじゃ窃盗や覚醒剤、私文書偽造あたりだと、展開が予想できて見る気がしなかったりするもんな。

なんて余裕かましてる場合ではない。ぼくは伸び悩んでいるのである。

つまらなさそうな事件の見当はつく。傍聴席でのマナーもわかってきた。人生のひとコマを覗き見た感触も少しはあるし、前回の春奈ちゃん裁判のような大事件も傍聴した。でも、それだけ。運任せ、いきあたりばったりで傍聴しているにすぎず、どの裁判がおもしろいのかの見当もつかない状態。これではだめである。

理由は言うまでもなく情報不足だ。地道に傍聴を重ねていけば、いつかは「これだ!」と思える事件にぶちあたるかもしれないが、幸運を待っているだけではラチがあかない。

仲間がほしい……。

そうだ、世の中には傍聴マニアたちがいるに違いない。傍聴のツボを知り尽くした彼らと親しくなることができたら、きっと視界が開けるはず。諸先輩方に教えを請うのだ。

今日も裁判メニューに唸るようなものは見あたらない。仕方なく、放火事件の判決を覗きに行くと、ヨボヨボの老弁護士が裁判所スタッフと開廷前の雑談中だった。

弁護士はいかにもヤル気がなさそうで「今日はまだ3件あんのよ」などとボヤいている。被告は放火を認めているが、判決が厳しければ控訴する気でいるようだ。弁護士はそれが気に入らないらしい。けど、そんな話をここでされてもなあ。

傍聴席にいるのはぼくひとりだ。くそ。受付で熟考すること15分。さんざん悩んで、他はたいしたことないと判断してここにきたのに。みんな、どこで傍聴しているのだろう。

懲役6年の判決を聞くなり受付に戻り、予定表を再チェック。お、わいせつ関係やってるよ。うむむ、こっちだったか。でも継続裁判のうえ途中からではついていけそうにない。一服して作戦を練り直そう。

喫煙所は混んでいる。先日までは各階指定の場所で喫煙できたのが、1階ロビーだけになったのだ。だとすると、出番を待つ裁判ウォッチャーがここでタバコを吸っていたり、仲間と待ち合わせしていることもあるだろう。

だが、いったい誰が……。ここには裁判所勤務者や弁護士、検察関係をはじめ、事件関係者、新聞記者、法学部学生などいろんな人がやってくる。しかも、学生以外はセビロ組が主流なので、職業などは皆目わからない。

ジュースを飲んで時間を稼ぎ、2本目の煙草に火をつける。粘るしかない。多くの人間を見て、眼力を養うのだ。

大きなバッグを持ち、手帳片手に気むずかしそうな顔をしているのは検察か弁護士。落ちつかないそぶりのグループは事件関係者の線が濃厚だ。しかし裁判ウォッチャーはどんなヤツなんだ。ひとりなのか、仲間と行動するのか。服装はどんな感じなのか。何のイメージも湧かない。

と、目の前でうつむいていたオヤジが顔を上げ、ぼくの目を見ながら絞り出すような声で呟いた。

「どうすっかなァ……」

苦悩するオヤジである。いきなりどうすっかって言われても、この人の悩みがどんなものだかさっぱり読めない。事件に巻き込まれているのだろうか。それとも知人が被告で、オヤジは証人として呼ばれているのか。いずれにせよ、雰囲気は重いし傍聴好きには見えない。ぼくはたまらず目をそらしてしまった。

と、そこに立っていたのはヅラ丸わかりのチョビ髭オヤジ。高級そうなスーツを着て、静かにタバコを吸っている。そして、なぜか蝶ネクタイ。これは弁護士や検察関係の服装ではありえない。

声をかけてみようか。だが、どう話しかければいい。「今日はおもしろいのありますか」では軽すぎだし、だいいち、間違いだったらどうする。確証もなく話しかけるのはリスキーすぎるだろう。ヘタすると今後の活動にも影響しかねない。うじうじ考えているうちにチョビ髭オヤジは去り、苦悩オヤジもふらふらとエレベータに向かってしまった。

その後、ラフな格好をしたふたり連れを発見。これこそウォッチャーと気色ばんだが、尾行してみると民事裁判の傍聴席に入っていく。どうも関係者のようだ。

こうなると、よほどの確信がないかぎり話しかけることは不可能だ。結局この日は夕方まで、喫煙所と傍聴席を何往復もしただけに終わってしまった。

話しかけても無視される

翌日は売春事件からスタート。ここでは保釈中の被告に、廊下で堂々と弁護士が証言する際の指示を与える光景を目にすることができた。被告の中国人女性の醒めきった表情が印象的で、ちょっとトクした気分。

この事件は女が経営する歌舞伎町の飲み屋で、ホステスに売春させていたというものだ。裁判では証人として日本人の夫が登場し、妻をフォローしつつ、「自分は店にノータッチだった」と、ヒモ的な生活をしていたことを強調。味のある証言を連発してくれて個人的には楽しめた。傍聴席は空いていたものの、久しぶりに《好取組》に恵まれた気がする。

早足で「わいせつ図画販売目的所持」の裁判へ移動し最後列へ。いかにも素人好みなのでウォッチャーはいそうにないが、この手は未見だから一応押さえておきたい。

部屋は案の定ガラガラ。内容も裏ビデオ販売と平凡だし、被告側は容疑を認めてしまっている。

見どころなしかよ。そう思って退席しようとしたとき、端に座っている初老男の手の動きが目についた。ときどきメモを取っているのだが、新聞記者には見えないのだ。表情もおだやかで、関係者ではなさそう。バッグもないし、いかにもヒマつぶしに見ている気配がする。この時間帯、ほかにめぼしいものはないのだ。

ウォッチャーかもしれん。一刻も早くマニアと知り合い、孤独から解放されたいぼくは、終了後、できるだけさりげない感じで「執行猶予、つきますかね」と話しかけてみた。

「実刑じゃないの」

おお、返事がきた。裁判所に通うこと6回目、ついに見知らぬ人との会話である。しかしよかったのはここまで。さっぱり後が続かないのだ。

あせったぼくは、つい「昼メシでもどうですか」と言ってしまった。途端に男の顔色が曇る。ウサン臭い相手だと思われたようだ。

「急ぐので」

「あ、そうですか。あの、ぼくは怪しいものじゃなくて、傍聴を始めたばかりで右も左も。いやその、いろいろ教えていただけたらと」

「………」

もう、いっさいこっちは見ようとしない。傍聴マニアなのかもわからないまま、男は足早に立ち去った。

えん罪じゃないのか

午後の傍聴席にも、それらしい人はいなかった。救いは、強姦の裁判がなかなかおもしろかったこと。強姦時、その場にいた（寝ていたらしいが）2人の男が証言したのである。

男達はスカウトマンで、訴えたのは企画物AV女優。男4人と女1人で酒を飲み、カラオケをし、男のうちの1人が部屋でさらに酒を飲んで雑魚寝。で、被告は女優とセックスし、それをやっかんだ先輩男も強引にセックスした。そんだけの話。なのに、だいぶあとから女が訴えた。しかも対象は先輩ではなく最初にヤッた男。しかも女優は男にホレて、しばらく追いかけまわしていたという。ヘンである。えん罪じゃないのか。

だけど自信をみなぎらせている検察の態度を見ると、別の考えに行きつく。証言がウソである可能性だ。

事件発生は去年（00年）の2月。訴えられてから1年以上経過しているところを見ると、決定的な証拠はないのだろう。逆転無罪まであるかもしれないから、追いかけてもよさそうだ。

証言に時間がかかり、途中で15分の休憩が入ったので、喫煙場所へ。周囲は全員セビロで、それらしい人はいない。さっきの失敗で消極的になっていたこともあり、ぼくは静かにタバコを吸っていた。

ロビーにいた男が「ひさしぶりですね」と隣のオヤジに話しかけたときも気にしなかった。

「どうですか最近は。きてます？」

「きてるよ。今日は2件」

「ぼくもその程度です。いま、終わって引き揚げるところで」

弁護士風ではないな、検察関係あたりだろう。いずれにしても、ここではありふれた会話だ。

もしやと思ったのは、しばらくしてから。若いほうの男がしゃべりだしたときだった。

「さっき、おもしろいのあったんですよ。チカンなんですけどね、夫婦で電車に乗っていて、奥さんがやられたんだって。で、ダンナがつかまえたんだけど、言い分に食い違いがあるんです」

「否認してるの」

「基本は認めてますね。でも容疑者の身内とかきてて、やりあってるんですよ」

この興味本位なノリ。検察ではありえない。ぼくの心臓は高鳴り出した。年長の男がうなずきながら「いいね」と答える。

「電気屋さんはきてます？」

「ああ、よく会うね」

「そうですか、あの人も好きだから」

「ときどき一緒に五反田へ飲みにも行ってるよ」

もう間違いない。これこそ探し求めていた傍聴マニアだ。

大チャンスである。彼らはリラックスしているし、時間に追われている気配もない。しかも、ぼくはたまたま隣に居合わせてるわけで、話しかけても不自然じゃない。落ち着け。タイミングが大事だ。

じっと待っていると、また裁判の話になった。

「ひとりで見てると、たまにいいのに当たるからね。不思議なもんだよ」

「ホント、そうですねえ」

「今日はついてたね」

いまだ！　ぼくは辛抱たまらないという感じで声をかけた。

「そういうこともあるんですね」

10年傍聴してれば判決は読める

自分はまだ通い始めたばかりで、おもしろい裁判にめぐりあえないでいる。どうやったらいいのか、探す方法もわからない新米だ。相手は強者。ぼくはストレートに攻めた。

「ほう、いまどれくらい？」

やった！　年長のほうが受けてくれた。

「2カ月ほどです」

「ああ、まだこれからだね」

「もう長いんですか」

「はは、なんだかんだで10数年にはなります。だいたい、判決とかは読めるね」

読める。言えないよここまでは。ひょっとしてこのオヤジ、マニア間では有名な人なのでは。

年長男の職業は不明だが、若い男は営業職で、午前中は出社し、午後から裁判所に来るのだという。ペースは週に1回で、もう数年間続いているそうだ。

通っているうちになんとなく仲間が増え、顔を合わせると情報を交換しているという。てっきりマニアは朝イチでやってくると思いこんでいたが、そういうもんでもないらしい。

ふたりはぼくを避けるでもなく、かといって積極的に話すでもなく、淡々と質問に答えてくれる。

「おもしろいのに当たるコツってありませんか」

「まず、ひととおり見るといいよ。自分の好みってもんがあるから。あと、特定の事件なら時期を狙うの。だいたい逮捕後2カ月でここにまわってくるからね」

みると、年長者の手には新聞切り抜きが大量に挟まれた手帳が握られていた。なるほど、気になる事件を切り抜き、目星をつけて傍聴に出かけるわけだ。

「継続裁判は2階の庶務で尋ねれば、次回の日程を教えてくれるからね」

いちいち、勉強になることばかりだ。できれば、このまま喫茶店にでも誘い、一気に電話番号の交換までいければ理想的である。まだ名前も知らないのだ。しかし、こっちから誘って警戒されては元も子もないしなあ……。

よし、今日はここまでだ。ぼくは席を立ち、礼を言って裁判に戻った。

ともかく、きっかけらしきものはつかんだ。すべてはこれからだ。ぼくはまだ傍聴マニアへの第一歩を踏み出したばかりなのである。

★えん罪じゃないかと感じた強姦事件には、数カ月後、無罪の判決が下った。企画物ＡＶ女優の知人か事務所の人間が入れ知恵して、和解金目当てで訴えたってことかもしれない。いずれにしても検察はメンツ丸つぶれ。逆に裁判所の冷静な対応が光る事件だった。

なお、このときに出会った年長オヤジは、以後ひんぱんに顔を合わせることになるダンディ氏。若いほうのマニアはその後しばらく顔を見かけたが、最近はさっぱり現れない。どこかへ転勤にでもなったのだろうか。だとしても、マニア魂がおさまるわけはなく、きっと最寄りの裁判所で傍聴に励んでいることだろう。

第4幕　被告の顔にドラマはあるか

居眠りしてて裁判に勝てるか

「被告人は無罪です！」

弁護人の言葉に、ぼくは傍聴席で笑ってしまった。まさか無罪を主張するとは思ってもみなかったのである。

被告の容疑はコンビニ強盗。店員に果物ナイフを突きつけて奪った金が千円札46枚。逃げようとして店長に捕まり、38枚をワシづかみにして戻し「返したからこれでいいだろ」と開き直って立ち去ったが心臓はバクバク。駐車していた自分の車で逃げようとしてバックし、バンパーをぶつけてしまう。それから多摩川べりに車を捨てて、そしらぬ顔でアパートに戻ったところを捕まったと検察側は言う。

犯行時、サングラスに帽子をかぶっていたとはいえ、頬骨の張った特徴のある顔。目撃者たちは「コイツに間違いない」と証言した。取り調べでもいったんは罪を認めている。

だが、途中から一転して無罪を主張。罪を認めたのは横暴な取り調べのせいであり、その日はパチスロをしていたから事件には関係ない。クルマは名前も知らないヤクザ風の男に貸したと言い張っているのだ。

う～ん、無理のある弁明だね。まるで子供がダダをこねているような言い分。こんなので無罪が主張できるなら、なんだって無罪だよ。

おそらく弁護士の狙いは《証拠不十分》だ。店長はサングラスをハズした犯人を目撃しているが、夜間で一瞬のことだから信用できない。一方、パチスロ店の従業員が被告を記憶していないのは自然なこと。それに、被告は借金があり親から勘当同然の扱いではあるが、運転代行の仕事があるので動機が不十分。疑いをかけられるのはしょうがないが、やってないものはやってないとまくしたてている。

でもまあ、落ち着き先は有罪だろうと思う。この弁護士、強気なことは言うけど、熱が、迫力がないのだ。もし本当に無罪を信じているなら、怒りや検察の無能を追及する姿勢が感じられるはずなのに、それがない。

もっと悪いのは被告である。検察が話をしている間、居眠りしていたのだ。これだけでもヤル気あんのかと突っ込みたくなるのに、顔がなあ。どう見ても無罪に見えんのだ。顔が有罪。

いやそれは言い過ぎとしても、眼光ニブく覇気がなく短気そうで何も考えてなさそうっていう四拍子揃いぶみは、コンビニ襲って千円札を奪うスケール感のなさに直結する。本当のところどうなのかはわからないが、顔にドラマがない被告じゃ応援したくならないもんだ。

人生のピンチだろ。不利をハネ返して無罪を勝ち取りたいんだろ。だったらもっと味を出せよ。

身に覚えがないから争ってるんだ

その点、恐喝で訴えられた組長は、怒りと男のプライドをにじませ、実に味のあるパフォーマンスを見せてくれた。

事件はショボい。組長はシノギとしてイベント関係の商品を納入しているのだが、警備員と小さなトラブルがあり、同乗者のネックレスが壊れたことを種に警備会社を脅したかどうかが争点となっている。

捕まったのは組長と、その右腕らしい右翼の男。検察側の説明では、組長が右翼男に指示して脅させたらしい。

しかし、組長は全面否定。しきりに「あの警備員は気が狂っている」と連発しながらも、恐喝などしていないと歯切れがいい。

「弁護士からは、罪を認めれば執行猶予がつくと言われたが、身に覚えのないことだから争ってるんです」

　こんなふうにバシッと言われると、聞いているこっちも「なるほど」と思う。いったんは罪を認める証言をしたことについてもコンビニ野郎とは大違いだ。

　組長は警察から、（現場にいた）高校生の娘も拘置所に入れて取り調べるぞと言われ、つらい思いはさせられないとの親心からシブシブ認めただけだと言うのだ。

　いいオヤジさんじゃないかと思わせてくれるばかりか、プレッシャーに負けてしまった自分を恥じる態度からは、品格すら漂う。

　組長の勢いに押されたか、自信がないのか、検察側の尋問も手ぬるい。

「あなたが先方との話し合いに○○を同行させたのは足として必要だったからですか」

「足って言ったら失礼でしょ」

「あ、裁判長、取り消します。そのときビール券を渡されて受け取らなかったのは、暗にこれでは不足であると言いたかったのではないですか」

「ビール券も金券ですからもらわなかった。もらう理由がないからもらわなかった」

　もう完全に組長ペース。弁護人も墓穴を掘りまくる検察に苦笑している。

「あなたはどうして○○がその後、あなた抜きで先方と会ったときに脅さなかったと言い切れるのか」の質問には、

「連帯意識、でしょうね」

間髪入れず、見事な男気すら示してみせた。

う〜ん渋いね。ぼくなど、この段階で「暴力団ではなくテキヤ系か。えん罪かも」と、組長に傾く気持ちをメモしているくらいだ。

単純か。実際には恐喝をしていて、こんなショボい事件で組長がパクられると格好がつかないから闘っている可能性もある。

でも、無罪かもと思わせる佇まいが、組長にはあった。歳を取っているからじゃない。今回は、嫌がるばあさんを追いかけまわし、ノイローゼ状態にさせ捕まったストーカーじいさんの公判も見たが、同情のカケラも生じなかった。

やはり顔つきの差である。視線の強さ、闘う意志、自分に対する自信などは顔に凝縮されるのだ。おおげさに言えば、ここまでの人生をどうやって過ごしたか。それが否応なくあぶり出されるところが裁判のおもしろさなのかもしれない。

被告の顔重視で傍聴室を覗きまわると、見どころなしの駄事件にぶつかる確率が減ってきた。これまでは事件のジャンルしか判断材料がなかったから、少し進歩だ。

女子高生を前に裁判官がんばる

きたきた、きましたよ。被告の顔、ジャンル、傍聴席の雰囲気と粒が揃った裁判だ。

被告の顔は無気力型で感情移入できそうにもないが、証人として登場予定の母親との対比がイケる雰囲気。

ジャンルは《強制わいせつ》で、早い話がチカン行為。ストーカーと並び、小事件では人気の集中するジャンルである。

特筆すべきは傍聴人。なんと過半数、30人近くが制服姿の女子高生なのだ。彼女たちの存在で傍聴席は異様な感じになっている。

開始まであと5分。なんとか空いた席を確保。ほかに傍聴しているのは学生らしき男たちが中心でマニアっぽい人は少ない。

ということはこの裁判、罪を全面的に認めているのだ。だから、マニアには受けない。ぼくも、いつもならパスするケースだ。

しかし、今日は見逃せない。女子高生たちは課外授業だろうか。引率の教師は身近な問題として、チカン裁判を選んだのか。素晴らしいセンスだなあ。

裁判官や検察官、弁護士も人間。傍聴席がスカスカなのと満席なのとでは、テンションが違って当然。それが女子高生なら張り切ってくれるだろう。被告にかかるプレッシャーも相当なものになるはずだ。

案の定、審理はハイテンションになった。先陣を切ったのは被告の母。保釈中の息子のことはかばいたいが、やりすぎれば常識を疑われること必至だ。

なぜなら被害者は14歳の女子中学生。女子高生たちにとってはたやすく「もし自分が被害者なら」と立場を置き換えられる存在なのだ。選択の余地はなく、母親はひたすら謝り続けた。「息子は反省している」「もう二度としないと誓っている」と。

チラチラ観察すると、女子高生たちの視線はほとんど被告に集中している。彼女たちは被告の反応を見ることで、証言がどこまで信用できるか判断しようとしていた。だが、息子はポカンと前を向いたまま。保釈されてるんだから打ち合わせだってしただろうに、これじゃ母の涙も効果なしだ。

証人の話が終わると被告への弁護人による質問。ここで、被告がチカンをしたのはこれが初めてではなく、それまで何度かやっていたことがわかった。でも、弁護人は被告に有利な状況に持っていきたいので、それを仕事の異動によるストレスとして片づける。

裁判官は被告に優しく語りかけた。

「いま、あなたのお母さんがいろいろ話してくれたけれども、それについて、あなたはどう思いますか」

この裁判官はこれまで何度か見ている。ソフトな口調で、被告の話をしっかり聞こうとするタイプ。ぼくは好印象を抱いている。

ここは裁判官が被告に対し、反省の弁を求める局面だ。ところが、この被告は与えられたチャンスを生かせないばかりか、逆に傷を広げてしまう。ロクに母親の話を聞いていなかったのか、反応できないのだ。

「おかあさんは、あなたが二度と事件を起こさないと言っていますが信じていいんですか？」

「…………」

「私が言っていることがわかりますか？」

「…………」

被告の長い沈黙に、女子高生たちがモゾモゾとカラダを動かしたり、メモを取ったりして、被告への非難の意志を示そうとする。その気配に、何かがキレたのか、裁判官は俄然ハッスルし始めた。

「あなたはなぜチカンをしてはいけないのだと思いますか？」

「えー と、えー、法律に違反するからです」

「それだけですか。被害者である14歳の中学生の気持ちを考えたことがありますか」

「えー と、相手には悪いなぁと……思います」

「そういうことじゃなくて」

「…………」

あなたの人生がかかってるんですよ！

裁判官は、ここであえて（だと思う）刺激的なことを口にしてみせる。

「あなたは自分が何をしたかわかってるんですか。わかってないでしょう。あなたは14歳の中学生を電車でチカンし、下着の中に手を入れ、さらに陰部に指を入れたんです！」

詳細を知らなかった女子高生たちの顔に衝撃が広がる。

彼女たちのあからさまな不快感を計算に入れて、裁判官はさらに被告を追及。被害者が事件のショックで家に引きこもっていることなどを矢継ぎ早にあげていく。

「今日、ここには被害者と同世代の方がたくさんいらしています。あなたの話を聞いていますよ。いまどういう気持ちですか」

どうせ有罪だし、ここまで責め立てなくても困りはしない。女子高生パワーが、張り切らせているのだ。ここはぜひとも被告に反省させ、ギャラリーをある程度納得させないと終われないんだろうな。

ここで、いったん検察にバトンタッチされたが、張り切っているのは検察も同じ。ガンガン責め立て、このままの人格ではストーカーになったり、チカンの再犯の可能性が高いと決めつける。

見せ場は、人事異動の前にもチカンしているではないかと弁護側のミスを鋭く突いたシーンだ。ストレスのせいなど嘘っぱちであることを看破していく。殺人犯にも負けないくらい、憎悪の感情ひとりじめ。よほど会心の出来だったのだろう、心なしか検察官の頬が紅潮している。

　負けてはならじと裁判官もエキサイトだ。

「ぼくがあなたの雇い主なら、あなたなんかとっととクビにしてますよ」

　おいおい、そこまで言うか。

「申し訳ないことをしたと思います」

　やっと被告がまともなことを口にしたが時すでに遅し。

「しっかりしてくださいね。あなたの人生がかかってるんですよ」

　そう、人生がかかっている。でも、もう間に合わないだろうな。

　今日、この場で、被告は人生のすべてをかける覚悟で猛反省すべきだった。母親が証言するなどお膳立ては万全。なのに、被告はバッターボックスに入っただけで、バットも振らずに三振してしまった。しゃべれず、顔で何かを語ることもできず、こいつに執行猶予をつけたら、すぐにまたチカンするだろうという確信をすべての人に与えただけに終わったのだ。

　ぼくもそう思う。

〈やるよ、また〉

　被告は、相手に嫌な思いをさせたなんて考えたこともなかった。そんなにいろいろ言われてもなあ、と戸惑ってただけだったりして。法律が守れなかったのだから、法律に従って罰を受け、解けたらまた法律によって裁かれるまで欲望の赴くままに振る舞うって考え方だってできる。だとしたら、ある意味で正直なヤツと言えるかもしれん。それもまた人生ではあるし。

審理が終わって廊下に出ると、女子高生たちはもう冷静で「あの犯人サイテ〜」と笑いながらしゃべっていた。今日は一日中、チカン体験談で盛りあがるんだろうな。

★被告の顔を強く意識して傍聴するようになったのはこのあたりから。反省の言葉などはいくらでも取り繕えるが、顔は一朝一夕には変えられない。そこには、これまでの生き様みたいなものがニジミ出てしまうのである。組長は有罪になったが、それは世間の尺度と組長の尺度が違うからで、本人は「あの程度なら当然無罪」だと確信していたと思う。が、人相判断はリトマス試験紙みたいなもので、好人物そうに見える犯人（犯行を認めている被告）も多く、自分の判断力の甘さを思い知らされることもしばしばだ。

第5幕　被害者の気持ちなど考えたこともない

出会いサイトで女に化けた40男

今回は詐欺の大物・許永中事件を傍聴したのだが、もう何年もやってる裁判だからか、テンション低すぎ。せっかく時間の都合をつけて見に行ったのに、検察側の証人尋問も重箱の隅をつつくような話ばかりでしょうもない。もういい、途中退席だ。

方針変更して「わいせつ」関係を集中的に攻めることに。こちらはスケールでは負けるけど、話が身近だし被告の個性っつうもんが前面に出るからおもしろいのである。

気づくのは出会い系サイトを使った援助交際の隆盛ぶり。携帯でますますお手軽な売買春が行われるようになってるようだ。時代を感じるなあ。

捕まる理由の大半は、16歳以下の中・高生に手を出すパターン。弁護側は判で押したように「会うまで中学生とは知らなかった」ことを強調し、被告も反省の色を見せる。

でもそれは無駄なドリョク。すぐにポロポロとぼろが出る。

中学生を買春したある保釈中の被告は、兄が証言台に立ち、今後の監督を確約。職場でも、社長が引き続き雇用すると太っ腹なところを見せたことだし、謙虚に反省だけしていればよかったのに、演技過剰が裏目に出た。終盤、立ち直る自信はあるのか？　という女性検察官の質問に、涙を浮かべてこう答えたのだ。

「自信はあります。何が何でも立ち直ってみせます！」

やりすぎだった。検察官の顔はたちまち曇り、とてもそうは思えないと言い放った。なぜなら被告は中2のとき空き巣泥棒で捕まり、保護観察処分になった半月後、ゲームショップで大量のソフトやゲーム機を盗んだ前科があったからだ。

「当時も素直に反省している。でも、すぐにまた犯罪を犯した。そんな人がどうして自信があると言えるのですか」

その上、意志の弱さを示す例として、かつて相撲部屋に入門したが3カ月で逃げ出した過去まで持ち出す波状攻撃。そんなこと、事件との関係性に疑問ありだと思うが、このチャンスを待っていた裁判官は気にせず断言する。

「あなたは世の中のやっちゃいけないことについて理解していない」

この裁判官、どう見たって運悪く捕まったとしか思っていないような被告にいい感情を抱いてなかったのである。でも、まぁこのまま流すかと思っていたところへ検察のツッコミ。ここぞとばかりに悪党扱いに切り替えた。これで執行猶予期間が1年は長くなるだろう。世の中、ツメが大事だ。

もっと手の込んだ犯罪もある。13歳の中学生とセックスした40代オヤジは、携帯の出会い系サイトで女性と偽り、女にメールを出しまくった。何度かメール交換しながら、お金がいっぱいもらえるアルバイトがあると巧みに誘い、金持ちのおじさんと援助交際すればと持ちかける。説得できたところで時間と場所を決め、直前になると自分は忙しくて行けないので直接おじさんに行ってもらうと連絡。で、男に戻って少女と会い、ホテルへ直行するというわけだ。

もう、コイツの場合は強制わいせつの前科2犯だから確信犯。中・高生が大好きなのである。相手が中1ですでにセックス経験ありだったということにも驚くが。

しかも、セコイことにこの男、ビデオは撮るわ金は払わず逃げるわのケチケチぶりだった。それが原因で訴えられて御用である。

冴えない風貌を悪知恵でカバーする知能犯ならまだしも不払い男じゃなあ。悪知恵といっても、凄いドリョクしてるのに金を払わないばかりにすぐ捕まってるし。つけた偽名が《藤井マキ》っていうのもどうか。

いいアイデアだと思ったんだろうけど、オレは同世代として恥ずかしいよ。

ジャニーズ系のルックスで、なぜ？

これまでの傍聴経験から、わいせつ事件で捕まるのは女にモテないタイプだと思っていた。でも、そうじゃなかった。人は見かけによらない。傍聴席に座っていると、やってきたのはジャニーズ系の男前。放っておいても女が寄ってきそうな青年だ。

ところが外見とは裏腹に、中学生時代の強姦未遂を皮切りに、シンナー、窃盗など前科4犯のキャリア保持者。2年前に実刑もくらっている。

今回は大胆にも新宿の雑踏で、大勢の人がいるなか、酔っぱらってナンパしそこねた女に殴る蹴るの暴行を加え、さらにブラジャーをはぎ取って胸をもみまくり、さらに押し倒そうとしたところを現行犯逮捕された。

そこまでしなくても、がんばったら女のひとりくらいゲットできそうなのに、実に不思議だ。

「公衆の面前で下着をはずして強制わいせつ行為をする事件は、私も初めてだ」と、裁判官も戸惑いを隠せない。

裁判官は興味シンシンだし、弁護側は酒の勢いだったからこそ公衆の面前でやったと言えるし、検察は前科をタテに極悪非道ぶりを強調するだろう。

さあ盛りあがるか！　被告は罪を認めており、弁護士にゆだねておとなしくしているのが得策だと思えた。言いたいことはあるだろう。でも、被告ばかり突っ走る裁判では、それぞれのプロが腕を発揮できる見せ場がない。苦しくても、ここは辛抱する一手だ。

ああ、でもやっちゃうんだなあ。なんだ「流れでやってしまいました」って。「（ムショを）出てから5年以内なんで（自動的に実刑となる）入るしかないです」なんてわかりきったことを言うんじゃないよ。

それは弁護人の役目だろう。わかっていながらすぐに捕まる犯罪を犯したのは酒に酔って判断力がなかったからだ、と。

ね、裁判官がわざわざそこを話題にしたのは伏線なんだよ。この裁判、動機の部分で駆け引きになるぞってサインなの。そこを軸として、少しでも短い刑期に着地させるのが弁護人の仕事であり見せ場。ジャマしたらいかんよ。

検察にしても、被告がうなだれていればこそ責めがいがあるというものなのに、そんな態度では持ち前のネチネチ感が出せないのである。「ふ〜ん、そのときあなたはどうしても胸に触りたかったんだ。できればそれ以上のこともしたかったんじゃないの」と言わせてあげなきゃ仕事にならんだろう。傍聴人にとっては正義を振りかざす嫌みな検察のテクニックも聞きどころなのだ。

それにこの事件には、ふくらむ要素がある。事件当時、被告が居候していた友人が新宿の遊び人らしいのだ。過去の犯罪歴からシンナーやクスリのつながりがあったとしてもヘンではない。

検察はそこについても質問を用意していたが、とりあえずムショに放り込むことを優先させることにしたようで、深くは追及しない。

こうなったら弁護人はお手上げだ。裁判官も長引かせてもしょうがないと判断したらしく速攻判決ということになった。検察の求刑2年に対し、1年6カ月の言い渡し。

ソープに行く金がないから幼女を襲う⁉

幼女へのイタズラは、わいせつ関係でも最も悪質なものだろう。盗んだカッターナイフを持って小さい女の子をつけまわし、静かにしないとぶっ殺すと脅してパンツを下ろし、陰部を直接触った被告には同情の余地がない。前科も幼女強制わいせつばかり4犯。刑務所とシャバをいったりきたりしている男だ。

こういう被告には、自分を重ね合わせることができないのがキビシい。痴漢や買春なら「もし自分だったら」と想像することが可能で、そこが傍聴の楽しみにもなっている。だけど幼女は……。想像するだけでも凄い罪悪感だ。

かといって検察の立場は強過ぎる気がするし、裁判官ってのもちょっと。今回は弁護人サイドから眺めてみるか。勝ち目のない裁判で、どこまで自己をアピールできるか。うんうん、それだなテーマは。

弁護人は60歳くらいのベテランである。やや貧相なのは国選弁護人だからだろうか。でも国選はシブイかもしれん。誰も引き受けたくないこんな事件で、どこまで実力を示せるか。傍聴席の勝手な意見としては、それが見どころだろう。

しかし、期待はいきなり打ち砕かれた。検察に軽く現在の心境を尋ねられた途端、被告はこう答えたのである。

「仕事がないから悪いことするしかないでしょう！」

ここまで開き直った被告を見るのは初めてだ。検察が言う。

「その考えでは、いずれまた出所したら罪を犯すことになりますよ」

「そうでしょうよ。まず、他の事件でまたパクられると思います」

話しながら、被告はエキサイトしてきているようだ。場の空気を考えたか、いったん検察は引き、淡々と事件のあらましを読みあげると弁護人にバトンタッチした。

「私から少し質問しますから冷静に答えてくださいね。つまりあなたの動機は、仕事がなくて」

「同じこと何回も言わすなよ！　調書でもまたやるって言ってるだろ！」

いいぞ、思いもよらない展開だ。さあ、どうする弁護人。暴れ馬をなだめることはできるのか。

「被告はこれまで少年院に始まり、刑務所に何度も入ってきました。今回も実刑は免れず、本人は仕事がなければまた犯罪を犯すと言っていますが、幼女を狙うことはもうやめると、ここで誓えますか」

犯行を貧困のせいにして、わいせつ問題とは別扱いにしようとしている。だが、弁護人のやりくりも被告にはまったく通用しなかった。

「小さい女の子を狙うことはやめないと思います」

断言してるよ、おい。

「あなたは幼女でしか欲求が満たせないのですか」

「そうじゃないけど、ソープとか金がないから行けないでしょう！」

金がかからないから幼女とはめちゃくちゃな理屈。そもそも被告と弁護人がやり合ってどうするよ。検察官も苦笑しているし、実力ないかも。

「あなたは被害者の気持ちを考えたことはないですか。幼い子どもにとって、あなたの行為がどれほど傷として残るか考えませんか」

窮状を見かねて裁判官が口を挟んだが、もう遅い。

「考えたことありません。あったら、こんなことできないでしょう！」

弁護人が小さくため息をついた。だめである。これでは闘えない。検察官も燃えようがなく、小馬鹿にされた裁判官もそれ以上は何も話さない。被告ひとりが興奮していて、あとはシラケてしまったのだ。傍聴席の野次馬も、退席する人まで現れる始末である。

シブい裁判は全体のバランスで実現するのであり、被告の暴走キャラだけでは目の肥えたギャラリーは満足できないのだ。

検事が求刑7年を申し立て、本日はここまで。廊下で待つこと2分、弁護人が出てきたので、思い切って話しかけてみた。

「いまの被告、開きなおっちゃいましたね」

「まったく、ありゃどうにもなりませんなあ」

立場も見せ場もなくした弁護人は、面倒くさそうにそう言うと、ウサン臭そうにぼくを見つめ、足早に去っていった。

惜しいなあ。この裁判、被告の態度によっては弁護人大活躍→被告反省→裁判官の励まし→検察官のクールな求刑、という理想の展開まであありえたはず。

まあ、カンジンの被告がとっととムショに戻りたくて、一生犯罪者として生きていくつもりじゃ仕方ないかもしれないが。

★弁護人は事前に被告に面会し、よく話し合ってから公判に臨むものだとばかり思っていたのだが、

どうやらそうでもないらしいことがわかってきた。なかには一度も面会することなく、公判で初めて会うケースもあるようだ（弁護人が会いたくても被告が拒否すればどうしようもない）。そのため、最後に書いたもののようにチグハグな弁護人質問になってしまうのだ。

第6幕　そして田原は泣きじゃくった

はじめての有名人裁判

長かった。初心者がストレートに興味をそそられる物件は大事件と有名人の裁判だが、早々にクリアした大事件（音羽幼女殺害事件）に比べ、有名人裁判のなんと遠かったことよ。

オウム麻原や赤軍派重信などメジャー感のある裁判の傍聴券抽選に、並んではハズレること半年。行列のできるラーメン屋で入店寸前「麵なくなりました」と言われ続けていたようなものだ。もはやストレスのカタマリであった。

しかし、ついに抽選で8・5倍の難関を突破したのだ。田原成貴裁判。容疑は覚醒剤取締法違反（所持、使用）および銃刀法違反である。

一般的にはタバラ？　WHO？　かもしれないが競馬界では天才といわれた花形騎手で、引退後は調教師として活躍していた人物だ。

事件は不可解である。NYテロ事件直後の2001年10月8日、羽田空港で機内に刃渡り約20センチの短刀を持ち込もうとして発覚。その後のチェックで、なんとポケットから覚醒剤入り注射器が発見された。

新聞記者に暴力を振るったり馬主とモメたり馬の耳に電波発信機を仕掛けてJRAに叱られたり、これまでもエキセントリックな言動が目立っていたとはいえ、今回はまさに自爆行為だ。

シャブにはことさら冷たい世間の目。競馬界追放を匂わせるJRA。四面楚歌な状況のなか、人一倍プライドが高いと思われるタバラが、このわけのわからない事件をどう説明するのか。しおらしくしているだけでは収まらず、とんでもないことを言い出すのではないか。少なくとも、タバラは黙って下を向いているだけの男ではないだろう。

きっと何かやらかしてくれる。傍聴席はドラマの予感に開廷前からヒートアップしていた(オレだけかも)。

注射器は刺したが液は入れてない

保釈中のタバラはスポーツ刈りで入廷してきた。頭を丸めて反省の意志を示す構えだ。うむむ、てことは容疑を全面的に認める作戦だな。ちょっとガッカリだが現行犯だから仕方ない。何がなんでも執行猶予はもぎとりたいだろうから。

検察が起訴事実を読みあげる間、タバラはうつむいたまま不安げな表情を浮かべていた。そして、裁判官に呼ばれると、予想どおり「間違いありません」と全面肯定する。

これで争いの芽はなくなった。問題は動機。あんなにトンマな捕まり方をした理由が知りたい。

テロ直後で厳重警戒中なのは子供でも想像がつくのに、刀を持ち込む。刀がバレれば、いやバレなくても小銭か何かが機械に反応したら身体検査される可能性があるのに、覚醒剤がいつでも打てる状態の注射器を持つ。まったく、破天荒なまでの無防備さである。しかも、尿検査で覚醒剤が検出され、ラリって事に及んだ可能性すらあるのだ。

証言台に立ったタバラが、弁護人の質問に答える。

曰く、刀は友人から借りたもので、覚醒剤は事件の3週間ほど前にロック仲間から初めて買ったとのこと。動機についても、刀は「ヤクザ映画を見ていて盛りあがったから」で、覚醒剤は「ストレスがたまっていて、その解消のため」。しかも、覚醒剤は3回ほど舐めただけで注射はしてないという。

努めて冷静な受け答えをしようとしている印象だが、大丈夫、言っていることはスキだらけだ。

「映画か何かで見た方法を真似して水溶液を作り、注射器を血管に刺しましたが、怖くなって注入はしませんでした」

まるで女房に浮気現場を押さえられた男が「先っぽしか入れてない」と言ってるよう

なものではないか。しかも2度目にもトライし、やはりとどまったとは無理ありすぎ。

その一方で、

「私は貧乏性なもので、こぼれた粉をもったいなく思い、舐めてしまいました」

注入はしていないが舐めて摂取したので尿反応が出たという理屈。自分は気の小さな男で覚醒剤を常用する度胸などなく、しかし貧乏性で買ったものを無駄にできない性質だとアピールする。発見された注射器に水溶液が入っていたのも、打つためではなく、どうやって処分したらいいかわからなかったからだと言う。

「注射器をハンカチで包んでポケットに入れたのは、ナマで見ると怖くなってしまうからです」

ははは。でも、わざわざポケットに入れて北海道行きの飛行機に乗るか。いつか打とう、いつか打とうのあすなろ君だ。

大金を払って保釈され、じっくり考え抜いたはずの答弁がこれ。苦しい言い訳に聞こえることは承知なのだろう。タバラは次第に興奮し、口数が多くなってきた。

ただ、いまは弁護人によるタバラへの質問タイムなので、それ以上の追及はない。物足りないが、ここはガマン。新聞報道必至の裁判である。検察側や裁判官の追及に期待しよう。

本宮ひろ志は「男」であった

　ここで弁護側から証人として呼ばれたのが、マンガ家の本宮ひろ志氏。なんと、タバラはいま、妻子の元を離れて本宮氏の事務所で寝泊まりしているらしい。

　う〜ん、意外な交友関係。しかも、今後は競馬の世界から身を引き、マンガ原作者としてやっていくのだそうだ。本宮氏によれば、すでに、ある雑誌での連載も決まりかけているという。

　苦境に立たされたダチの面倒はオレが見る！　さすが男・本宮である。

　タバラはこんな本宮氏のことを「大将」と呼んでいるらしい。大将は、しっかりと自分の言葉でしゃべるところもリッパだった。

「去年の暮れ、うちの忘年会のときに彼の目つきが座っていたり、険悪な雰囲気で編集者と口論したりして、クスリでもやっているのではないかと思いました」

　裁判と直接関係ないどころか、前々から覚醒剤を使用していたのではないかと誤解を受けかねないエピソードを堂々と披露。何というか、場が締まるのだ。

　今回の事件についても、

「正直言って理解に苦しみました。これほどバカな男かと思いましたが、あまりにバカすぎて、よほど内面的に追いつめられていたのだろうと想像します」

ストレートに思うところを話した後で、悪人扱いのタバラを「彼はある種、天才的な男だ」とナイスフォロー。そして最後は、「これからは自分と一緒にゆっくり生きようと話をしました」しんみりと締めくくる。メリハリのある素晴らしい証言だ。

続いて登場したタバラの妻は、主に厩舎運営の苦労を吐露した。すでにタバラはＪＲＡに調教師廃業届を出しているが、それに伴う経済的な打撃を数字で示す。事件を反省して自ら責任をとる姿勢を見せることと、残る借金によって社会的制裁を受けるのだから、そこんとこ配慮ヨロシクってことだ。

また、事件の背景として厩舎経営のストレスが大きく関わっているらしきことも匂わされた。いいぞタバラ夫人。当面は別居し、子育てに専念するとのことだが、がんばってほしい。

私を検事側証人として立たせてください

さあ後半戦だ。再びタバラが証言台に向う。質問者は裁判官。ここからが勝負である。被告側は罪を認め、競馬界から身を引く用意をし、今後の身の振り方も決め、信頼感のある身元引受人を用意している。狙いが執行猶予であることは明らか。ある意味、万全の態勢と言ってもいい。

が、ここへきてタバラ積年の思いが爆発。事件の背景となったJRAとのトラブルを情感たっぷりに話し始めたのである。

「私がストレスをためたのは、従業員との労使間問題でJRAともめていたからです」

なんでも、運営する厩舎の従業員が、かつて自転車で転んで怪我をしたため労災保険を受け、同じ人間が今度は馬に踏まれて怪我をしたため労災の申し立てをしたところ、保険金詐欺の疑いを抱かれたらしい。また、足に負傷をした厩務員では調教に支障があるので解雇しようとした件でも、JRAともめることになったという。

「悩んだ私は、同厩務員が調教中に事故でも起こしたら困ると思い、馬の耳に電波発信機を取りつけることにしたのです。万一馬が暴れたらわかるようにとの配慮からでした。ところがJRAは理由を明らかにせず、私が電波発信機を使い不正なことをしたかのように発表してしまった」

この事件、実際にタバラが不正を企てたかのように報道されたが、裏側は複雑な事情があったようだ。

厩務員をやめさせることができないため、必要に迫られて行ったことで悪者にされる。タバラは憤慨し、夜も眠れなくなって病院の神経科にも通った。だが馬主の信頼をなくしたため、預かっていた馬がどんどん他へ移る事態に。

「2002年の入居予定馬は16頭いましたが、わずか6頭に減ってしまいました。これでは厩舎が維持できない。ＪＲＡに責められ、捨てばちな気持ちで覚醒剤に手を出したんです」

こうなったら止まらない。「スカッとするものがほしいなあ」と、そっち方面に明るい友人に誘い水をかけたことを告白。覚醒剤のことをギョーカイでは「ピー」と呼ぶとマメ知識も披露し、裁判の主役として、俄然存在感を発揮し始めたのである。

裁判官の短い質問にも果てしなくしゃべりまくるタバラ、法廷でも華がある。テロの直後になぜあのような行動を取ったか、刃物をどうするつもりだったかなど、傍聴人が知りたいことも逃げずに答える姿勢は買える。しかし、出てくる言葉は「もうどうにでもなれ」「わかっていた、捕まる気で行った」「北海道で最期の賭けを」と支離滅裂。いくら真剣に耳を傾けても結局、理由はわからない。

「何度も失敗しながら、なぜ水溶液を捨てなかったか」

裁判官の問いにタバラは答える。

「またやってみようかなという気持ちも心のどこかにあって……」

何度もトライしながら、怖くて注射器の芯が押せなかった男の言うことじゃないよ。

裁判官はそれ以上の追及は無駄だと判断したのか、好き勝手にしゃべらせる方針に切り替えたようだ。検察も、覚醒剤常用の証拠がないので無言で見つめるのみ。

こうして、矛盾だらけのまま公判は終盤へと突入。検察は求刑2年を求めたのだった。

「被告は最後に言いたいことがあれば言いなさい」

いったん席に戻ったタバラが、気合いを入れ直して席を立つ。

世間を騒がせた事件を「スカッとしたかった」と「どういうわけだか、捕まりたくなって飛行場に行った」という、たわけた理由で押し切る力業を見せた男である。とにかく乗り切ったという安堵感と、もう一押ししておきたい欲望で、ココロははち切れんばかりだろう。

今日の裁判で足りないものはないか。ある。涙だ。妻は涙を流さなかった。ならば主役のオレが……。くる！　タバラはここで泣きにくる!!

「今回の事件は私の弱さから起こったことです。私は、他人に弱さを見せたがらない性格で、すべて自分で解決しようとする。その結果……」

次第に高まるタバラの声。集中してるぞ。よし、涙声になってきた。

「私の犯した罪は、罪は、許されることでは、ありません！」

泣いた。タバラは泣きじゃくった。そして、あきれたように公判を終えようとする裁判官にだめ押しの叫び。

「私を公判の、その、検事側証人として立たせてください！」

もう誰にもタバラの言っている意味などわかりはしない。だが、場は確実に盛りあがった。有名人の絶叫と涙には、わかっていても人の気持ちを揺さぶる何かがある。それがどんなにわざとらしいとしても。

★裁判は2001年12月27日、懲役2年、執行猶予3年で決着した。

第７幕　息子は犬死にです

被告を皆殺しにして私も死にたい！

10時5分前に受付でスケジュール表を見ると、傷害致死事件の《続審》が目についた。じっくり考える余裕はない。これでいこう。

法廷はそこそこの入り。単純な事故などではなさそうだなと思ったら、事情が飲みこめてくるにつれ、殺人事件であることがわかった。これは期待ができそうだ。

不謹慎かもしれないが、殺人事件は裁判の華。なにせ死人が出ているのだ、ただごとではない。裁判の格がワンランク上というか、窃盗あたりとは違って傍聴席にも緊張感がある。

しかも、この事件がまたなんともイヤな展開だ。敵対する暴走族に仲間をやられた連中が群をなして23名で仕返しに行き、相手を間違えて罪もない18歳の男を殴る蹴る、あげくの果てに殺して病院の前に放り投げて逃げたという。

「関東連合が」とか「所属するブラックエンペラーの」とか、高校時代にタイムスリップするような固有名詞もバンバン出てくる。まだ、しっかりいるんだ暴走族。そういや昔、族のダチに誘われて横田基地の集会に行ったことがあったなあ……。浸ってるんじゃないよ。

　この日の容疑者は主犯格のふたり。どっちものらりくらり知らぬ存ぜぬを決めこんでいる。23名いずれもそんな調子で、暴行を加えたことは認めても、最後の一撃を誰が加えたかをしゃべらない。それで、ずるずる1年以上も裁判が続いているらしい。証拠もないし、仲間が裏切らないとすれば主犯の確定は困難だ。人ひとり殺《あや》めておいて、せいぜい2、3年で出所かい。くそ、卑怯な奴らめ。

　イライラしつつ見ていると、検察側が証人を申請した。被害者の父親だ。リッパなヒゲを生やしてはいるが、明らかにやつれが見える。

「生きていれば、今年は成人式でした」

　絞り出すようなセリフとともに、早くも涙声。傍聴席には遺影を抱いた母親もいる。もちろん息子はもう戻ってこない。でも、とにかくがんばれオヤジ、息子をブチ殺した連中に思い切り呪いをかけろ！

　切々と続く父親の証言から、無惨な息子の最期が浮かびあがる。

　問答無用で殴られ蹴られ、金属バットで殴打され、若い命を失ったのだ。事件後、家庭はもうメチャクチャ。兄貴思いの弟は、いまだに死を受け入れられず、線香をあげようともしない。親とも口をきかない。幸福な一家から不幸のドン底へ。その犯人が目の前にいる。

興奮した父親が叫んだ。

「できることなら被告を皆殺しにして私も死にたい！」

事件後かなり時間が経っているのに、ここまで言うことに驚いた。親子の絆はかくも強いのだ。

「いまも夜は眠れません。あいつらをどうやって殺そうか、ナイフか木刀か拳銃か、そんなことばかり考えています」

ゴルゴ13が目の前にいたら、全財産を投げうって犯人グループ皆殺しを依頼しそうな勢い。父親の無念さを思ううちに、こっちまで涙がこみあげそうになる。こんなことは傍聴歴半年にして初めてだ。

被害者の父親に話しかけられ

傍聴を終え、エレベータに乗ると、被害者の両親が立っていた。3人きりで1階まで降りる間、知らんぷりというわけにもいかず、黙礼。一服しようと喫煙所に向かうと、後ろから父親もやってくる。

目を閉じ、深々とタバコを吸い込んで煙を吐きだす姿から目を離せないでいると、父親が気づいて近寄ってきた。

「傍聴をされていましたか」

なんだなんだ、どうして話しかける……。思いがけない事態に「ええ」としか答えられない。

「息子は、犬死にです」

「……はぁ」

ここでそんなこと言われて、どうすりゃいいのだ。

「1年以上、ずっと傍聴してきて、何もはっきりしないんですよ」

証言の名残か、まだ目が潤んでいるようだ。

「あの連中も自分がかわいいのはわかります。でも、そこまでウソをつかなければならないのか。私はね、私は……失礼」

一方的に語り終えると、父親はタバコをもみ消し、去っていった。

と、今度は傍聴席で見かけたヤサ男風の若者が、被告の関係者らしき男とやってきた。若者もどこかで事件を起こし、拘置所で被告の何人かと知り合ったようだ。なんとかクンとは一緒に苦労しまして、とか言っている。

「あいつが殺したなら黙ってるヤツじゃないっすから」

相手の男も、よくあるケンカに無関係の男をたまたま巻き込んだのは不運だった、というような話をしている。世の中は複雑だ。立場ひとつでどうにでも見解が変わる。

野次馬傍聴人はただ、彼らがきたのが父親のいなくなった後でよかった、と胸をなで下ろすだけだ。

検察側は完全犯罪を主張した

気を取り直し、午後も殺人事件の継続審理。若い傍聴者が多いのは法学部の学生だろうか。おっと、よく見かける顔もいるぞ。マニアがきてるってことは、これはただの事件じゃないな。

凶悪事件でヤクザでも絡んでいるのかと思えば、被告は初老の男だ。不思議なもので被告席に座るとフツーの人間でも悪党に見えてしまうのだが、この被告は殺人犯とは思えないほど善良な顔。おどおどした感じに好感が持てる。

ところが事件は強烈。とっつぁん、船の上でナイフを振りまわしてひとりを殺害。さらに他の2人にも襲いかかり、ひとりは刺された後で海に落ちて溺死、もうひとりも重体に。

犯行について、被告側は事実と認めている。やったのだ。とっつぁん、やっちまったのだ。でも、なぜ？

この日は最終弁論で、弁護人の話から事件のあらましがわかってきた。とっつぁんは東京湾で魚を獲る漁師だが生活は苦しく、被害者である金融業者に借金をしてしのぃでいた。ところが、これが悪徳業者。借りたのは200万ほどなのに、いつの間にやら利子で600万に膨れあがり、返せなければ船を取りあげると脅されてしまう。

船を奪われたら仕事ができない。悩むとっつぁんは、こうなったら殺すしかないと思い詰め、業者を海上に呼びだしたのだ。船と、自らの生活を守るため、素朴でマジメな男が下した決断。それが、殺しだった。

「船は漁師の命だべ！」

わかる、わかるけど、だからって殺すか。自分だったら殺せそうにない。しかもひとりもふたりも一緒とばかり、そばにいた人間にまで（ひとりは息子の親友）ナイフを振り下ろせるか。勢いで？　馬鹿な。

でも、とっつぁんはやった。たった600万で人生棒に振った。酒の力も借りただろうが、狂っていたのだ。わけがわからない錯乱状態だったのだ。

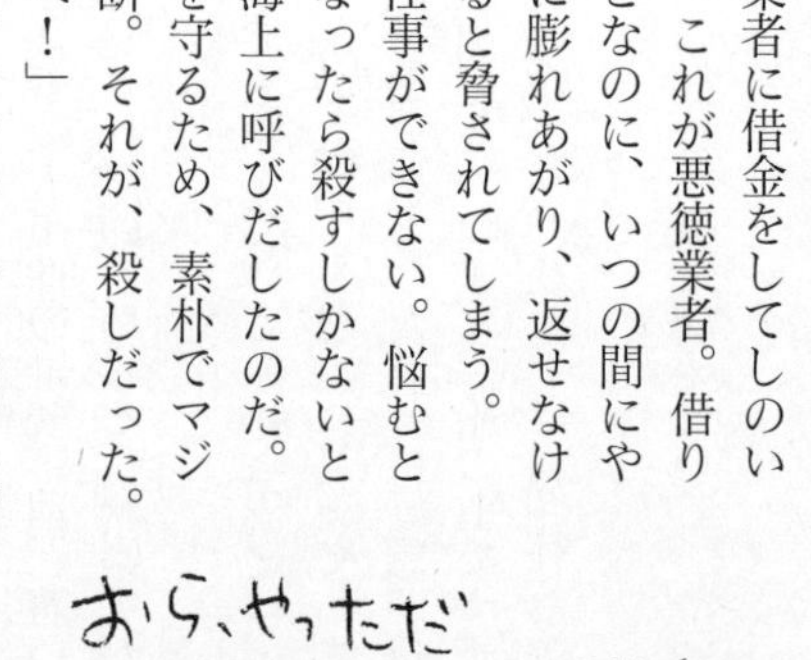

夜の東京湾、年老いた男が背後から金貸しに襲いかかる。安いテレビドラマでしかお目にかかれそうにないシーンである。でも、これが現実。コツコツ積み重ねた人生が音を立てて崩れ落ちる瞬間。

その後すぐ、なぜ傍聴席がにぎわっているかがわかった。検察側はとっつぁんが完全犯罪を狙って海洋事故に見せかけた事件だと主張し、弁護側はそれを否定していて、もつれにもつれているのだ。

出たね、完全犯罪。胸が躍るフレーズだ。しかし、とっつぁんにそんな芸当ができるのか。死体は羽田沖に流れ着き、空港近くの岸辺で発見されている。

漁師なら、計画段階で海に捨てた死体が潮の流れでどこにたどりつくかはわかるだろう。防ぐには重りをつけるなりコンクリート詰めにするなり、あらかじめ準備が必要なはずだが、それはされていない。殺しっぱなし。しかも、立会人みたいなカタチで別の船で現場付近にいた人間には危害を加えていない。

「以上のことから考えても、完全犯罪説は間違いです」

そうだよな。弁護士さんに傍聴席から一票だ。しかし、強気の検察は、死刑を要求しているらしい。

平成になって、死刑が実施された例はまだ数えるほどしかない。たしかに殺人犯だけど、相手も悪党なのだからそこまでしなくてもいいんじゃないか。実直なとっつぁんは情状酌量の余地アリで無期。これでどうだ、裁判長。

マニアにホメられて、うれしいぞ

自分勝手な結論を下しながら、また喫煙所で一服。うまいね、タバコ。一仕事終えた感覚っていうかさ。

と、さきほどの傍聴マニアがいるではないか。よく見かける顔で、密かにダンディ氏と名付けている人だ。

「死刑になりますかね」

「どうだろうね、極刑までは」

スムーズに答が返ってくる。傍聴席にぼくがいることも知っていたらしい。さすがだ。ダンディ氏の知り合いらしき白髪の紳士もやってきて、あれこれ話し始めた。この人も傍聴好きでやたらと詳しい。そこに、もうひとりやってきて、喫煙所はたちまち情報交換の場になる。周囲の人たちはけげんな顔だ。当然である。ここには事件関係者もいれば弁護士や裁判所職員もいるのだから。

ひさしぶりのチャンス。ぼくは積極的に会話に加わり、思い切って身の上を明かしてみた。

「じつはライターなんですよ」

敬遠される確率50％と踏んでいたが、嫌がる様子はない。どう説明したらいいかわからないので「一介の傍聴人の立場で書いています」と言うと「それはいいことですね」とダンディ氏。

聞くと、ここには新聞や週刊誌の記者も訪れるが、目当てはメジャーな事件ばかりで、小さな裁判には見向きもしないとのこと。

「あなたのような方にがんばってもらうのが大切なんです」

アンタはここの主かい。仕事はしてないのか。家族は平気なのか。いったいどんな人生を。疑問は多いが、マニアにホメられて、なんだかうれしいぞ。

「よかったら、これを差しあげますよ」

会話の中身から初心者であることが丸わかりなのだろう。ナベさんと呼ばれている白髪の紳士がくれたのは主要な裁判の日程表だった。

「定年になってから時間があるのでパソコンで作ってます」

すごい、こんなものまで作っているのか。

「役に立ちますよ。この方はマメにきちんと見ていらっしゃるから」

ダンディ氏にタイコ判を押され、ナベさんも満足げだ。

「裁判はまず情報ですから。じつはヒマを生かしてこういうものも」

うわ。何これ、テレビ画面に映った裁判官の顔リストじゃん。素晴らしい。

「いや、それほどでも。大きな事件のとき、ワイドショーで録画しておいて、プリントアウトしただけですから」

ケンソンしつつ、ナベさんは胸を張る。何でも数年前、オウム裁判を傍聴してからこの道にハマり、連日駆けつけているらしい。

「すごいですね。尊敬しますよ」

ぼくがホメると、バッグから今度は分厚いレジュメ登場。見ると、一件ずつ、裁判の流れが克明に記されている。もちろん、すべて傍聴したもので、メモを元に帰宅後清書するのだそうだ。

何という情熱。ここまでやるか。

「まだまだですよ。この人（ダンディ氏）なんか、みんな頭に入ってるんだから」

「ははは、まぁこれを機会に仲良くやりましょう」

証言オヤジの涙を見せられたかと思えば、傍聴マニアと知り合ったりもする。いやー喫煙者で良かった。

さてと、もう一服して家に帰るか。

★とっつぁんに下された判決は死刑だった。裁判所は、事件が情状酌量の余地のない計画的犯行であり、直接関係のない人まで死に至らしめた罪は極刑に値すると判断したのだ。検察側の全面勝利

である。人を殺せば死刑もあるとわかってはいたが、目の前で言い渡されるその判決は、リアルすぎてピンとこないほどの重みだった。

ただの傍聴人でさえそうなのだから、加害者、被害者の関係者にとっては想像を絶するものがあるだろう。

判決を終えた直後の廊下は涙であふれた。とっつぁんの家族や知人が泣いているだけじゃない。被害者の遺族たちも号泣していた。だが、事件はこれで完結したわけじゃない。とっつぁん側が「刑が重すぎる」と控訴し、高裁に持ちこまれたのだ。死刑と無期では大きな違いなのである。

コラム　いつでも誰でも見にいける！
傍聴の極意教えます

逮捕の2カ月後に初公判

予備知識がなくても裁判所には入れる。傍聴もできる。出会い頭におもしろい事件に遭遇するのが好きなぼくは、いまだに準備なしに裁判所へ行くのをメインにしているが、日によって当たりはずれの差も大きいので効率は悪い。より確実に、見たい事件にたどりつこうと思ったら、それなりの準備が必要だ。

第一はマメに新聞記事を読んで、これはという事件があったらチェックすること。傍聴マニアたちの手帳は、新聞の切り抜きでいっぱいだ。それも、細かく報道される大事件ではなく、続報が入らない可能性のあるベタ記事が多い。

刑事事件の場合、起訴からざっと2カ月で公判が行われるのが目安。逮捕からではなく、起訴からの期間なので間違えないように。たとえば3月1日に逮捕、10日に起訴されたとすると、5月10日前後に初公判となる可能性が高いわけだ。起訴された日がわからないときは、逮捕から推測すれば、早くても5月に入ってからだと考えられる。

予想される時期が近づいたら、裁判所に電話して「○○の事件の初公判はいつですか」と聞くと、決定していれば「○月○日、午前10時、422法廷です」という具合に教えてもらえる。大事件なら大雑把な情報でもわかってもらえるだろうが、小さな事件の場合は被告のフルネーム、罪状ぐらいは押さえておきたい。

ある程度、報道された事件であれば、このときに「傍聴券はありますか」と確認しておこう。もし傍聴券が必要なら教えてくれる。このとき、パソコン抽選か先着順か、何枚発行されるのかも尋ねて確かめておこう。

なお、裁判所では写真撮影や録音は禁止されている。傍聴の際はメモ用の手帳かノートを準備したい。

傍聴券をゲットせよ

10時からの公判で、9時半までに並んでくれと言われたら、せめて15分までには到着するようにしたい。もちろん先着順のときはもっと早くである。

到着したらすぐに並ぶ場所を確認。東京地裁なら、傍聴券が発行される公判が当日の朝、壁に張り出されるので、それを見ればすぐにわかる。はっきりしないときは係員をつかまえて尋ねれば親切に教えてくれるはずだ。

パソコン抽選なら、指定の場所に並ぶ際にナンバーが書かれたカードを渡される。この番号が、後で張り出される当選番号の中にあったら、傍聴券がもらえる。なければハズレでもらえない。

ワイドショーが殺到するような大事件を別にすれば、たいていの事件では倍率2倍以下なので、友人と行けばどちらかは当たる計算。臆せず並ぶことをすすめたい。大事件でも、もっとも混むのは世間の注目度が高い初公判と判決日。それ以外は競争率も下がるので、そこを狙う手もある。

なお、公判によっては入場時にボディチェックがあるので、妙なものは身につけておかないこと。

事件表をチェック!

裁判所には最高裁判所をはじめ高等・地方・家庭・簡易裁判所があるが、最高裁は公判数が少なく、家裁は一般非公開で行われるので、傍聴に適するのは高裁、地裁、簡裁のいずれか。裁判所の数、事件の質を比較すると、簡裁か地裁をメインにするのがベターだ。両方ある地域なら、バラエティに富む地裁がいいだろう。

裁判所に到着したら、空港のように荷物チェックをされるところで、あらかじめポケット内のものを出し、バッグに入れるなり係員が差し出すプレートに置くなどすること。朝はみんな急いでいるので、もたつくと白い目で見られる。

中に入ったら、さっそく本日の公判予定を確認しよう。これは玄関の近くにある受付に置かれた事件表に一覧が載っている。事件表は民事用、刑事用、高裁用などに分かれているので、目的のものをチェックする。見たい裁判が決まっていないときは、刑事用を見るのがいいだろう。

事件表は見る人が多いため、列になっていることがある。朝イチ、午後イチで始まる裁判も多いのだから、時間ギリギリではなく余裕を持つことが、見たい裁判を見るコツ。とくに判決などは一瞬で終わることがあるので注意。

なお、傍聴券が発行されない公判は、早い者勝ちとなる。定員になると入れてもらえないので気をつけたい。一般的に人気になりやすいのは殺人事件や強姦事件などだが、運悪く学生の見学などがあると、地味な事件も満員になってしまうことがある。

逆に、ゾロゾロ見学に向かう集団（小学生や女子中高生がいい）の後をついて傍聴席に座る方法もある。傍聴人が多ければ、裁判官や弁護人も張り切るのが人情。ましてかわいい学生がきているとなれば気合いも入るからだ。

事件表には簡潔に、その事件に関する情報が記されている。ぼくもそうだったが、初心者は急ぐ心理もあって開廷時刻と法廷番号、罪名、被告の氏名ばかりをチェックしてしまう。確かにそれで目指す部屋には行けるのだが、忘れてはならないのはその公判が新件（初公判）かどうか。2回目以降のものを傍聴しても、事件の概要がわからず、ついていけない可能性が高い。

罪名は慣れるまで複雑なものを避ける。新聞報道も読まずにこみ入った詐欺事件を傍聴しても、理解不能がオチ。窃盗、暴行、傷害、恐喝、覚醒剤取締法違反あたりが初心者向きか。好みにもよるが、強制わいせつなどもとっつきやすくはある。

最後に裁判官の数もチェック。裁判官がひとりの場合は（単）、3名の場合は（合議）となっている。合議のほうが事件のグレードが高く複雑であるのはいうまでもない。

法廷でのポジション取り

法廷に入ったら、空いている席に自由に座っていい。しかし、初心者だからと遠慮して入り口近くの端や、最後列ばかりに座るのはソンだ。

法廷内では傍聴席から見て正面奥に裁判官席があり、その前に書記官席がある。さらにその手前には証言台。被告や証人が発言する際は、すべてここで、裁判官のほうを向いて行われる。

傍聴席から見て右手と左手には当事者席。ここへは弁護人、検察官が分かれて座る。左右の別はとくに決まってはいない。被告人席のそばに弁護人席がある。

だから、興味本位の傍聴人としては被告の表情が良く見える位置に座るべきなのだ。表情が観察できる位置にいれば、検察のツッコミに対する反応などもわかりやすく、自分なりの判決を下すための材料も増える。傍聴をすると、どうしても「有罪か無罪か」「有罪なら何年の刑か」を考えるようになるのだ。

複数の被告が同時に裁かれるような公判では、予備用の長椅子が使われる。これは傍聴席の前にある仕切りの向こうに位置し、被告の背中しか見えない。こんなときには、入場時と退場時、証言台に向かうため席を立つ一瞬に表情を拝みたい。

そのように考えると、法廷における最高のポジション取りは、被告がひとり（予備用の長椅子がない）のときには前列中央、または被告席と逆側のやや中央寄りで、検察の表情も見える位置。被告が複数いる（予備用の長椅子がある）ときには被告席と逆側のやや端寄りで、予備用長椅子の被告の横顔が見える位置がベスト。

法廷には他に速記官などもいるが、たいして気にする必要はなし。それだったら被告が外国人のときに登場する通訳のほうがチェックに値する。語学力に自信がある人は、どの程度まで正確に訳しているのか、聞いてみる楽しみもある。

法廷内では私語、携帯電話、帽子は禁止。他にも居眠りや読書が禁じられているが、すべて常識の範囲内だ。途中退席は認められているので、自由に出入りして構わない。

判決まで見届けよ

初公判は裁判官の質問に氏名、生年月日、職業、住所、本籍の順に被告が答え、権利の説明を受けてスタート。検察官が起訴状を朗読する。どんな容疑で、どんな状況で捕まったかが説明されるわけだ。

それが終わると、裁判官は被告に尋ねる。

「検察官が朗読した起訴事実の中で、間違っているところはないですか」

ここで「ありません」と答えたら、被告が罪を認めたことになり、大荒れになる可能性は消えるが、「ある」と答えたときは早くも波乱のきざし。一部の事実ならまだしも、犯行を否認するような事態なら全面戦争へと突入することになる。

続いて行われるのは検察官による証拠調べ。冒頭陳述、証拠請求という事務的な内容で盛りあがりには乏しく、早口で何をしゃべっているかわからないことも多々ある。

事件が単純で、被告側が事実を認めている場合は、その後すぐに弁護人による質問が行われ、検察官の質問まで一気に進む。そして早ければ2回目の公判で判決を言い渡されるケースもあるが、通常は3回目で判決となることが多い。2回目で証人が証言したり最終弁論が行われ、情状を訴えるのだ。一方、検察側は論告後、求刑○年などと意見を述べる。

これが基本だが、争点があったり、罪状が多岐にわたれば、裁判はいやおうなく長引くことになる。先の予定が決まるのはせいぜい2回先までで、いつになったら判決が言い渡されるのか見当がつかないことがほとんどだ。

傍聴人としてはつらいところだが、大事件でもない限り、裁判を最後まで見届けたければ公判のたびに傍聴を続けるか、マメに問い合わせをして進行状況を確かめなければならない。問い合わせの際には事件表に書かれている事件番号が必要となる。

裁判が長引くと、どうしても新しい事件に関心が移ってしまい、判決までカバーできなくなりがち。しかし、傍聴のベテランになればなるほど判決を重視する。興味を抱いた裁判の結末が明らかになるのだから当然だ。求刑に対し、裁判官はどんな判断を下すのか。それは自分なりの予想とどれくらい違うか。被告の反応はどんな感じか。時間は短くても、判決は裁判のすべてが集約されている、ドラマの最終幕なのである。

第8幕　ぼくに謝られても

「誠意」をめぐって

ぼくのような素人はつい派手な事件に目を奪われがち。だが、ありふれた事件のなかにもドラマはある。

「交通事故も見たほうがいいよ。お金も絡むし、肉親が傍聴席に多い。感情的な対立とか争いで、意外に盛りあがることがあるから」

今回は傍聴マニアのスイセンを受け、交通事故関係を集中的に攻めてみることにした。アイテムとしては道交法（道路交通法）違反、業務上過失傷害、業務上過失致死など。いずれも事件というより事故なので、たいして期待してなかったのだが、なんのなんの。人生を考えさせられる一幕が目白押しだったのですよ皆さん！

軽くジャブからと思って足を運んだ〈道交法〉裁判が、いきなり轢き逃げ事件だもんなあ。被告は気の弱そうな50代の中堅サラリーマン。飲酒運転で歩行者をひっかけ、怖くなって逃げ出したという。

これが災いし、発見が遅れた被害者は病院で死亡。その後オヤジは罪の意識に耐えきれず出頭して捕まっている。いやいや、朝イチからキツイね。

人を殺して逃げた男。通常の事件なら同情の余地はない。しかし、顔面蒼白でうなだれているオヤジを見ているうちに他人事とは思えなくなってくる。酒を飲んで運転したことはぼくにもあるからだ。

自分は無事に帰宅。オヤジは轢き逃げ犯。この差はちょっとした運でしかない。自分なら絶対逃げないと言い切る自信はない。一歩間違えばそうなる可能性はあるのだ。リアルだよなあ。やっちまった瞬間、オヤジの頭に浮かんだことも想像できる。事故った、死んだかも、ヤバイ、どうする。会社は、家族は、コツコツ築き上げてきたオレの人生は……逃げよう。ケガで済んでいるかも。これは悪夢、なかったことにすればいい。そんなところだろう。

でも相手は死亡した。結果、仕事を失い、家庭は真っ暗。逃げているため実刑は免れないかもしれない。

被告側の証人として登場した地方在住の兄は、事件以来10回以上上京して、被害者宅を訪問したり保険の交渉に立ち会ったりしている。

そのたびにケンもホロロに追い返されているわけだが、対人無制限の保険に入っていたこともあり、金銭面でのトラブルは避けられそうな見通しらしい。

だが、ここで問題となるのが誠意ってヤツである。誠意は被害者側の伝家の宝刀だ。いかに補償金を積んでも、反省していても、この言葉をだされたらひとたまりもない。

検察官は声を大にして言うのだ。

「遺族の方は被告側の対応から、誠意のなさに怒りを感じているわけです」

何から何まで兄貴に頼りきりで、それでもオトナか。しかも轢き逃げ男。会社をやめただと？　毎朝、兄が電話をして行動をチェックしているだと？　それで反省のつもりか。ふざけるんじゃないよ。もっと追いつめろ検察！

さっきまで被告を可哀相に感じていたのに、検察官にノセられたのか一転して被害者の気持ちになってしまった。交通事故裁判は傍聴人も忙しく気持ちが揺れ動く。通常の事件と違い、悪意が存在しにくいぶん、被告の立場にも遺族の立場にもなる。

いくら謝ろうと、補償金を積もうと、死んでしまった者は戻ってこない。それでも誠意を示さなければならない。示したつもりでは通用しない。感情的な問題だから、交通事故の裁判はもつれやすいのだろう。

ドクロマークのトレーナーはないだろう

60代の実直そうなオヤジが、仕事中、横断歩道を歩いていた老婆にクルマを接触させ死亡させた別の事件。オヤジはきっぱりと非を認め「すべて私の不注意です」と謝罪した。

金銭面を含め、できることはすべてやる。死ぬまで謝罪し続ける。わざとらしく泣いたりせず、男らしく言い切る態度は好感度も高い。

傍聴席には妻と娘ふたりもきていて、加害者側のつらさを無言で示すなど、やるべきことはやっていた。それでも、被害者の娘は言ってしまうのだ。

「もっと誠意を示してもらえたら……」

バイクで歩行者をハネた、お笑い芸人志望の若い男も、誠意攻撃になす術もない。

「落ち着いたら、それでもあなたはお笑い芸人を目指すのですか」

こう問いつめられたら、あきらめて就職します」と言うしかない。事件と将来の仕事は別のはず。おいおい、そんなにカンタンに言質《げんち》取られていいのかと思うが、任意保険にも入っていない身なら、賠償金を支払っていくためには会社員にでもなるしかない。お笑いで成功して賠償金を支払う、などと言ったら確実に量刑は重くなるだろう。

これにて若者の人生設計は根底から崩れてしまった。もちろん被害者の遺族だって同じこと。どっちもつらい。傍聴も精神的にキツく、疲労困憊だ。

4件目。2列しかない傍聴席に滑り込むと、すでに裁判が始まったところだった。傍聴人はぼくのほかに中年の男女が1組だけ。マニアや学生の姿はない。これはハズシたか。

しかも、弁護人がいつかのヤル気のないジイさんではないか。そうか、予算がないんだ。ジイさんは今回も罪を全面的に認めてとっとと審理を終わらせようとするだろう。あっさり進行するようなら途中退席だな。

事件は、早朝6時に制限速度60キロの3車線道路でクルマを100キロで走らせていた被告が、横から飛び出してきたバイクを避けきれず、数十メートル引きずって死亡させたというもの。どうやら、バイクは信号を無視していたらしい。

検察側は40キロオーバーを軽くは見ず、日常的にスピード違反への意識が低いと話を持っていくのだけれど、明け方のがら空き道路ならぼくでもある程度は出す。その時間帯に事故現場付近を走っていたクルマの大半が、制限速度以上で走っていたことは想像に難くない。そこに万に一つの確率でバイクが突っ込んできたわけだ。

任意保険には入っていなかったが、約3千万円の賠償金で示談が成立している。将来、働きながら支払う計画のようだ。

安い賠償金で済んだのは、支払い能力のこともあるだろうが、被害者側にも非があったからだろう。争いがなければ、あとはスムーズに進みそうだ。

淡々とした流れが予想される裁判をじっとりした雰囲気に変えたのは、被告人自身だった。前出の全面降伏オヤジあたりに比べると、すごく歯切れが悪いのだ。

相手が死んでしまったからには謝るしかないとわかってはいても、言葉の端々に《不注意はオレだけじゃない》という空気が漂ってしまうのである。

滑舌も悪くて「このたびのことは、あの、本当に申し訳なく、えー」と尻切れトンボ状態。何を言っているのか聞き取りにくく、裁判官に注意される有様だ。

それはまだいい。最悪なのは服装だった。

仮にも裁判である。公式の場である。持ってなければスーツを着ろとは言わない。トレーナーにジーンズでもいいだろう。

でも、黒いトレーナーの右腕と背中に白抜きでドクロのマーク入りってのはシャレにならんだろう。単なる傍聴人でさえ目を疑うデザイン。検察や裁判官が気づかないはずがない。何も考えず、いつもの服を着ただけですってのは通らんよ。それはキミの事情。世間はそうは見ない。いくらうなだれていようとドクロ男。この服を選んでしまうデリカシーのなさに、事件に対する姿勢を嗅ぎ取ってしまうのだ。

しかも、事故以来、運転はしているかと聞かれ、「仕事でたまに」なんて答えちゃイカン。仕事だろうとなんだろうと、運転だけはしちゃだめ。遺族の神経を逆なでしてるとしか思えない。

今さら息子を返せとは言いませんが……

ここで検察側が証人として被害者の母親を呼ぶと、目の前にいる女性が席を立った。

なんと、この男女は両親。傍聴人はぼくひとりだったのだ。

「せめて制限速度で走っていてくれれば、息子はあんなことにならなかったかもしれないと思うと……お墓ができたんです。一度でいいから本気で謝ってほしいんです」

　涙を見せる母親のすぐ横に、うつろな目をした被告が座っている。その被告に突き刺すような視線を浴びせる傍聴席の父親も、続いて証言台に立つ。

「せがれはもう戻ってこねえんだから、今さら息子を返せとは言いませんが、なんであんな……」

　最後に、裁判官に促された被告が再び証言台へ。両親の背中越しに、ドクロがはっきり見える。少しでも誠意を感じさせるセリフが吐けるか、ここが勝負どころだ。

「このたびのことは本当に、申し訳なく思っています」

さっきと同じじゃん。裁判官もボキャブラリーの貧困さにあきれたように「それでいいんですか」と念を押している。

被告側には両親の姿はない。その点を尋ねられると、父親は病気がち、母親はパートに出ていてこられないとのことだった。

息子の裁判の初公判。肉親が情状酌量を求めるのが一般的なのだから、無理をして出廷したっておかしくない。でも、それがないというところに、家庭の複雑さもうかがえる。仕事に向かう途中の事故なのに、会社の上司もきてないしなあ。

そして、トドメを刺すジイさん弁護人。その時刻に標識通りに走行しているクルマはほとんどなく、それほどの暴走ではないとクドく言い訳。被害者の両親の表情がこわばるのがわかる。ああ……。

終了後、エレベータの前に行くと、両親がポツンといた。ぼくは次の裁判が上の階であるので隣のエレベータで待つ。

と、そこに被告が駆け足でやってきて「すみませんでした！」と頭を下げた。なんとかして誠意を示すにはどうしたらいいか、審理中から考えていたのだろう。この態度をさっき示せばよかったのに。

案の定、両親は被告に一瞥もくれず、エレベータに乗り込む。直角に頭を下げてそれを見送る被告人。とにかくやることはやった。そんな感じで顔をあげたところに……ぼくがいた。

いたくていたんじゃなくて、エレベータを待っているだけなんだが、被告の動きが一瞬止まる。ぼくが傍聴していたことを憶えていたからだ。

彼は小さく言った。

「すみません」

謝られても困る。かといって無視するのもヘン。そうだ、ここはめったにないチャンス。思い切って話しかけてみるか。ぼくでも100キロ出しますよ、はどうだ。嫌みか。

「大変ですね」

結局、どうでもいいようなことしか口にできなかった。被告は無言で、かすかにお辞儀を返すだけだ。

そばで見ると純朴そうな顔をした男である。不器用なのだ。こういう裁判をうまくこなすために涙を流したり、必要以上に深刻ぶったりする演技ができないのだ。

判決はどうなるのか。この男は今後、どんな人生を歩むのか。せめてドクロだけでもやめとけばなあ。なぜこんな日にわざわざドクロを着たのか聞いてみるか。無理だ、ぼくには聞けん。

あとは、シーン……。エレベータがくるのを、こんなに切実に待ったことはない。

★クルマを運転する人間にとって、交通事故の裁判ほど身近で恐ろしいものはない。一瞬の出来事で金はなくなり、ヘタすりゃムショ送り。教習所も、更新時に見せるビデオに、事故シーンばかりじゃなく裁判シーンを加えれば、暴走も減るんじゃないか。ぼくは傍聴以来、めっきり安全運転となっている。天国から地獄。奈落の底へ落ちる。これら使い古されたフレーズが見事にハマるのが交通事故の刑事裁判だ。

第9幕 ダレまくりのオウム裁判

あのときセミナーに参加していたら

いつかは見なければならんと思っていた、オウム・麻原彰晃（松本智津夫）裁判を傍聴する機会が訪れた。

これまでにもチャンスがなかったわけではないが、ある程度の数をこなし、場の雰囲気に呑まれなくなってから冷静に裁判を見たかったのだ。

殺人事件から窃盗犯まで、傍聴歴も100回をオーバー。そろそろオウム裁判に挑む資格はできただろう。

オウムには自分なりに特別の思いがある。神仙の会とかいう名で有機野菜を売っていたころは毎日チラシを目にしていたし、麻原らが立候補した衆院選（全員落選）のときは、怪しさに惹かれて『アストラルコンサート』なるライブに足を運び、熱唱するナマ麻原も見ているのだ。

デブでねぇ。太った尊師ってだけでもウサン臭いのに、なぜ信者がこんなに熱狂するのか理解できなかったなぁ。全員が「ショーコーショーコー」と歌い踊るなか、ひとりポツンとカラダを硬くしていたっけ。

1994年の暮には、オウムが年末年始にかけて主催する超能力セミナーに潜入取材をしようとしたこともあった。ちょうど松本サリン事件、坂本弁護士一家殺害疑惑などでマスコミが騒いでいる最中。ぼくはヤル気マンマンで横浜支部へ出向き、信者が白目をむいて修行に励んでいる隣で詳しい説明を受けた。

セミナーには麻原も顔を出す予定と聞き、武者震いすらしていたもんだ。

この取材、結局は危険すぎると編集部に止められて断念したのだが、もし行っていたら会場はたぶん第7サティアンかその周辺（富士山麓のある場所と説明されていた）。そして、無事には戻れなかった可能性も高い。

仮に何もなかったとしても、超能力など身につかないと思えばそう書くしかなく、そうなればポア対象の末席に名を連ねていた恐れもある。大げさかもしれんが、なにしろオウムもテンパっていた時期。翌年3月に、あの地下鉄サリン事件が起きたんだもんな。

しかし、それで終わったわけではなかった。セミナー申し込みの際、連絡先を知らせていたため、事件後、オウムから電話攻勢に遭ったのだ。

マスコミの言うことを信じるなと説得された。彼ら末端信者たちは本気で濡《ぬ》れ衣《ぎぬ》だと信じているようで、「オレは信者じゃない」といくら言っても電話は止まらず、毎日のように郵便物も送られてくる。そのなかには、麻原が弁明に終始するメッセージテープなんていうのもあり、不気味でしょうがなかった。

報道でオウムの全貌が明らかになるにつれ「行かなくて本当に良かった」と胸をなで下ろしたのも束の間、今度は公安が我が家にやってきた。勝手に信者の名簿に載せられていたらしい。

公安ってのが珍しかったもんで、積極的に家に上げてコーヒー入れたり、かいがいしくもてなしたところ、部屋の中にあったサイババのステッカーやバッジを発見された。サイババが本物かどうか、この目で確かめるため、インドまで行ったときに買ったものだと説明しても、まるで納得してくれない。

とまあ、話がズレたが、こんなことがあったので、オウム事件はとても身近に感じられるのである。

おまえは裁判所のスタッフかよ

地裁11階の事務室で麻原の次回公判日を訊ねたところ、4月9日だとわかった。数日前から裁判所に通ってオウム関連の公判がないかどうかをチェックする。

すると、8日の朝、スケジュール表に中川智正の名があるではないか。中川といえば松本サリン事件や坂本弁護士一家殺害事件に関わる人物だ。

公判を見るには傍聴券が必要だ。張り出されたリストには《先着順》と書かれている。あらかじめ混雑が予想される事件は《パソコン抽選》になるから、人気は下降気味か。しかも広いとは言えない4階の法廷だ。

案の定、指定の場所にはパラパラとしか人がおらず、あっさり傍聴券が手に入った。すぐに法廷に向かうと、重要裁判の傍聴の際には必ず実施される身体検査が行われていた。バッグを預け、金属探知機による所持品検査、ボディチェックを受けなければ入場できないのだ。

ぼくの前にはオウムウォッチャーの江川紹子氏の姿もある。エライなあ、いまもちゃんと裁判に通っているんだ。

「これ、ナイフついてますね」

や、失礼。鍵についていた小型五徳ナイフが金属探知機で引っかかり、預けに行くと、ぼくの手からナイフを受け取ってバッグに入れようとした若い係官を先輩係官が怒鳴り散らした。

「ちゃんとやれ！　そうじゃないだろうが！」

どうやら、所持品は本人が直接バッグに入れるのがルールらしい。いいね、緊張感が出てきたよ。

ところが、やっと始まった裁判がどうもイカンのである。まず長期収監中のはずなのに、中川がでっぷり太っているのが納得できない。背広姿の背中はパンパンで、今にもはち切れそうだ。しかも、入場するなり弁護士と軽く打ち合わせをするなど、場に溶けこみすぎ。おまえは裁判所のスタッフかい。

審理も冴えない。今日は坂本弁護士一家殺害事件についての弁護人質問なのだが、あくまで細部の確認事項という感じ。

「他の実行犯の様子はどうでしたか」

「岡崎さんは一生懸命だな。村井さんは真剣で、早川さんは落ち着いているなと。新実さんは当日、長かった髪を剃ってきて、気合いが入っているなと思いました」

おいおい、どっかの窃盗事件の話じゃあるまいし、裁判官も止めてほしいよ。争点とも思えないディテール話をしていたら、裁判が長引くのも当然だ。

あまりのだらけた雰囲気に眠気が襲ってくる。実際、傍聴席では居眠り組が続出。見れば、裁判所の事務スタッフも目を閉じているではないか。彼らにとって公判など日常の出来事。寝ていても耳は起きている、動物並の居眠り技を習得しているに違いない。

だが、いくらなんでもこれはどうかと思う。

検察官が小指を差し込んで鼻クソをほじくっているのだ。

たっぷり5秒間、見せてもらった。法廷で白昼堂々、手で隠すこともしない鼻クソほじり。このふざけた行為に、中川裁判のすべてが集約されていた。

こんなことでいいのか。税金のムダ遣いじゃないのか。小物はもういい。途中退席だ。

腐っても尊師。さすがの動員力だ

翌日は本命の麻原である。公判開始は午後1時15分。担当オガタと12時に待ち合わせしたのに、11時半には地裁に着いてしまった。入れこみ過ぎか。でも何があるかわからないから万全を期さないと。

受付で確認したら《パソコン抽選》の掲示。法廷はぼくが知るなかでもっとも広い104号法廷で、中川との格の違いを見せつけてくれる。よしよし。

抽選時間は12時35分なので、たっぷり時間がある。一服するか。マニアに麻原裁判の状況を聞いてから本番という流れも悪くない。

だが、喫煙所に常連たちの顔ぶれは皆無。うーん、どうしたんだろう。いつも裁判リストを配ってくれるナベさんは、オウムで傍聴にハマった人なのに、見捨てたのだろうか。麻原裁判も中川のようにダレまくってるのか。

ともあれ、まずは見るのが先決。12時15分、整理券をもらいに行くと人の出足は鈍いようだ。傍聴券は52枚用意され、現在10名かそこら。楽勝ペースだ。

ムードも和やかで、通っているらしきおばちゃんが、インド風パンツをはいた女にいきなり「信者？」と聞くなど、いい味を出している。

その後、徐々に増えてきたが余裕はある。しかし、どこに隠れていたのか、残り5分になって急に人が増えてきた。みるみる定員オーバー。さすがに尊師、底力を見せつけたね。

江川女史もしっかりきたし、向こうでは公安なのか、手帖を持った男たちがしきりにこちらを見ながらメモを取っている。

最終的に、64名がエントリー。12人が落ちる計算か。まずい。クジ運の悪さには自信があるのだ。

「それでは発表します」

張り出された絵を見る。410番……お、あった。オガタもめでたく当選だ。

昨日よりさらに係官が動員された厳重な身体検査を終え、法廷の外の廊下に並ぶ。

江川女史の他にオウムウォッチャーとして知られた顔は見あたらない。あれほど騒いでいた有田某や日刊ゲンダイの某はどこに消えたんだ。

「3列に並んで入廷してください」

係官の指示で列が動き出した。いよいよ始まる。具体的な裁判の中身はどうでもいい。ぼくの目的は麻原がいま、どうなっているかを見ることにある。

場内には、さすがと言わざるをえない緊張感がみなぎっていた。目を引くのは4人の裁判官。通常はせいぜい3名だ。しかも、顔ぶれがエース級といいますか、他の事件では裁判長を務めるメンバーがずらり揃っている。

検察官はとりあえず4名だが、後部にも席があるのでさらに増えるだろう（最終的には8名になった）。

一方、どうしたことか弁護側は空席である。もはや麻原、弁護士なしで闘っているのか……。

と思っていたら、開廷直前にどやどやと入室してきた。なんと11名の軍団。サッカーチームかい。それだけ罪状が多岐にわたっているんだろうけど異常な数である。

「開廷します。被告人を連れてきなさい」

ドアが開く。帽子をかぶった護衛官が入場してくる。久々のシビレるシーン。つい、頭のなかに「朝まで生テレビ」のオープニングテーマが鳴り響いてしまったよ。

しかし麻原、ごつい護衛官に囲まれて姿が見えない。思わず腰を浮かせたそのとき、小さくやせこけた男が入ってきた。

無精髭をはやし、寝ぐせだらけの髪は短めの坊ちゃん刈り。上下グレーのトレーナーを着て、目をつぶり、口をもごもごと動かしている。

痩せたことには驚かない。びっくりしたのは、まったくオーラが感じられないことだ。

音羽幼女殺害事件の山田被告には、ものすごく嫌な雰囲気がまとわりついていた。覚醒剤で起訴された田原元調教師には、芸能人のような華があった。でも、言っちゃ悪いが麻原、ただの薄汚いオヤジにすぎない。カルト教団の元教祖としての風格なんて、どこからも伝わってこないのである。

席に着いた麻原は、噂で聞いていたとおり、何かぶつぶつ呟いていた。目は見えないのか、ずっと閉じられたまま。ときどき、ふいに手を挙げたり上を向いたり妙な動きをしているが、いつものことなのか、裁判官から注意はない。

忙しそうにしているのは報道席にいる3名の法廷イラスト師だ。ほう、プロはデッサンをするのか。くそ、負けられん。こっちはサインペン一発描きで勝負……。似てないんだこれが。

今日は松本サリン事件の検察官立証の続き。土屋を中心とする実行犯グループはどうしたこうしたと、事件当日の行動を細かく述べる。ぼくは初めて聞くけれど、これまでもさんざんやったことを繰り返しているだけなのだろう。

報道席にいる記者のペンはほとんど動いていない。どうせ麻原は何も証言しない。雰囲気だけはピリピリしているが、中身は何もない。

こんな調子で罪状をいちいちキメ細かく立証していたら、この先何年かかることか見当もつかない。弁護側はいったい何を争っているのか。

「どうにもならんな」

「きっと、麻原が死ぬまでかかるよ」

公判が終わり、オガタと不毛さを嘆いている横を、江川女史が無表情で行き過ぎた。我々のように短気な人間では、オウムウォッチャーなどとても務まらないということなんだろうな。

★麻原裁判は、検察側が細かい事件をどんどん省くことによってスリム化がはかられ、2004年2月に死刑判決が言い渡された。すぐに控訴されたが、提出期限までに控訴趣意書が出されなかったため、2006年3月、東京高裁は裁判打ちきりを決定。弁護団が異議を申し立てる展開となっている。このまま死刑が確定すれば、なるべく間をおかず死刑が執行されるだろうというのが傍聴マニアの一致した見解だ。

第10幕　どこまでもダメな女

歯が痛いから仕方なく覚醒剤

一般的に女性の刑事事件は少ない。世間を騒がせた、福岡県の看護婦グループによる計画殺人事件（あれはスゴイ！）などもあるにはあるが、傍聴している感じでは全体の2割もない。とくに暴力絡みの事件はめったにないから、凶悪事件を起こすと世間は驚くのだ。

では、数少ない事件を起こすのはどんな女たちなのか。共通項はあるのか。今回はそこに焦点を合わせてみたい。

女性が起こす事件の多くは覚醒剤取締法違反か窃盗。なかでも覚醒剤関係がやや多いだろうか。ただし、こんな小事件を狙っているマニアはいないから事前の情報収集は不可能。片っ端から見ていくしかない。

朝イチで地裁へ行き、受付で本日の公判予定をチェック。やはり女の被告は少なく、スケジュールを組むのに一苦労である。やっと有望そうなのを発見すると、他のと同時刻だったりするのだ。貴重な女の事件、裁判所はもう少し散らす配慮がほしいね。

　手始めに覚醒剤から傍聴しようと529号法廷へ入室。検察官の女は眠そうだし、弁護士は遅刻するし、早くもダレた雰囲気がいっぱいだ。被告席には呑気そうな顔をした30歳ぐらいの女が座っていた。

　どうやら執行猶予中にシャブをやったらしい。実刑確実だから弁護士も力が入らないんだろう。

　女はシャブと免許証偽造、詐欺で前科3犯。あとはいかにムショ入りの年数を少なくするかの攻防である。

　この女、スナックに勤めているときに客から勧められてシャブ初体験。その後、ヤクザな男とできちゃった結婚し、子供が生まれるとすぐ離婚したくせに、執行猶予後は別の男（こいつも逮捕されている）と同棲を始め、再びシャブをやって御用。免許証偽造や詐欺も自ら企てた、というより男に命令されてやっている。主体性ゼロ。すべてが受け身なのだ。

　そのくせ妙に裁判慣れしているのか、シャブをやった理由からしてふざけている。

「アゴの骨の手術をしたんですが、そのせいで歯が痛くてたまらなかったんです。医者は相手にしてくれず、仕方なく覚醒剤を使いました」

おいおい、何が仕方なくだ。でもこの女、女検察官のネチネチした尋問をのらりくらりかわし続け、子供でも見破るウソに固執する。

「とにかく歯が痛くて痛くて」

だと。やりたくてやったに決まってるだろうが。百歩譲って歯が痛かったとしても、すかさずシャブに走るなんて依存性の高さを裏づけることにしかならん。

まったくだめだ。犯罪者だからだめなのではない。立ち直るなり、開き直って悪の道一直線に進むなり、逮捕をバネに人生の新しいステージに突き進もうとする気配がまったくないのである。

ま、この女は特別。次はもっと骨のある女をリポートできるだろうと思った。女だてらにガッツある裁判を展開し、傍聴席を熱くさせる役者がいるはずだと。

しかし、現実はキビシイ。次に見た女も、離婚歴アリで前科2犯仮釈放中。出所後すぐにシャブを再開して捕まった確信犯だった。しかも持っていたシャブが1袋か2袋かでもめている。

「私は2袋買った記憶ありません」

だって。ラリッていたら記憶も飛ぶってもんだ。ぼくが断言してもいい。間違いなくアンタの袋だよ、2つとも。

我が子の目の前で逮捕された女

25歳ガングロ女はマリファナ所持で捕まった。初犯でもあり、シャブに比べたら罪は軽い。執行猶予がつくケースだ。でも逮捕時、持っていた量が異常。7キロである。売人の男を手伝っていたらしい。

「彼が売人とは知らずに、遊び半分で吸ってしまいました」

1・5グラムもあればタバコ1本分くらいの量にはなる。7キロでざっと4600本分。どこの素人がそんなに持ち歩くんだ。不審に思わないとしたらアホである。

「男の名はマイケルで間違いないですね」

かー、出たね。この女、いわゆるシスターってやつですか。

「彼のことを信じていたので、まさか売っているとは……」

よせよせ、マイケルにくっついてクラブで自慢げ

に一服している姿しか目に浮かばないよ。地味なスーツを着て化粧を薄くしても無駄。たぶん尻にタトゥくらいは入れてるね。

即判決が出て執行猶予3年。マイケルとは別れるそうだ。その間に就職でもし、顔を白くして適当な日本人と結婚でもするんだろうか。両親とともに廊下に出てきた女は、さっきまでの殊勝な態度はどこへやら、親を無視してさっさとエレベータに乗って去ってしまった。ヘタするとどんどん堕ちていきそうなタイプだ。

堕ちるとどうなるか。その直後に典型に出くわした。歯痛女を3倍強力にしたようなシャブ中である。ルックス、ムード共にダウナー系って言いますか、法廷の雰囲気もどろりと暗い。

ざっとプロフィールを紹介しよう。恵まれない子供時代を経て、19歳で覚醒剤デビュー。これまでに3回結婚して娘が4人いるが、合間を縫うように前科を重ね、何年も獄中にいたためまともに育てた年数はわずか。今回も仮出所中だというのにシャブに手を出し、立ち直るチャンスを放棄して半年で塀の中へ逆戻り。すでに人生に疲れているのか、外見は34歳とは思えないほど老けている。

入手ルートはテレクラ売春で知り合ったヤクザだ。セックスして1万5千円もらうところを1万にするかわりに、シャブをもらっては打っていたという。ちっともイイ女じゃないから、相手の男はラリった女相手のセックスがおもしろかったか、シャブをさばくルートとして利用しただけだろう。

しかも、その中毒ぶりがだめすぎる。子供のひとりを連れて歩いているとき、どうしてもガマンできなくなって、公園の便所で注射。ふらふらになって歩いているところを職務質問され、子供の目の前で逮捕されたのだ。なんちゅう母親だよ。吐き気がしそうだ。

これじゃ、「今後は絶対やらない」と誓っても誰も信じはしない。弁護士は育ての親から今後の更生に責任を持つという上申書をもらったが、前回も同じパターンだったのに、出所後会いに行くどころか電話すらしていないのでは説得力なし。しかも、頭のなかはシャブで一杯。まっすぐに向かった先がテレクラなんだもんな。聞いててあきれる。

それでも母親失格の被告は必死で情状を求めるのだ。

「クスリはもうやめます。出所する頃には私も36か37になる。自分のカラダ……いや子供のことを考えて、これからはマジメになりたい」

どうだろうこれ。口調はすごく真剣なんだけど、具体的なアテは皆無。将来の生活設計を尋ねられると途端に口ごもり、「何とかします」とわけのわからない答。何も考えていないのがバレバレだ。

検察官が冷静に突っ込む。

「手に職はない、就職は難しい、経済力も弱い。これでどうして、何とかなると言えるのか」

そのとおり。お先真っ暗である。またクスリに頼ろうとしたとき、やつれ果てたこの女を買うのはどんな男なんだろう。考えているうちに、こっちの気持ちまでヘビーになってしまった。

なぜシャブ中の夫とヨリを戻すのか

被告の名がカズミだったんで息せき切って駆けつけると坊主頭の凶悪そうな男だった。カンベンしてほしい。が、裁判が始まってしまった。しょうがない、見ていくか。覚醒剤で前科1犯、仮釈放中の再犯で実刑確実。しっかり離婚歴アリ。子供もふたり。

それでも、言い訳はなし。腹をくくって罪を認め、服役する覚悟はできている。うんうん、男はわかりやすくていいわい。

しかし、気になることが。派手めな服装とメイクの女が、心配そうに被告を見つめつつ傍聴席に座っているのだ。妹か、現在の彼女か。

違った。元妻が証人として出廷したのだ。でも、何のために。尋問役の弁護士によれば、元妻は半年前、被告の暴力に嫌気がさし、離婚に踏み切ったとのこと。いわば離婚ホヤホヤである。

それなのに、被告に面会すること20回。差し入れなど献身的に面倒を見てきた。別れたとはいえ元夫婦だ。男の将来を案じる優しい気持ちの表れなのか。子供の父親ではあるわけだから、立ち直ってもらわねばと思ったのかな。きっとそうだ。根っからのシャブ中ではないと言いにきたんだ。

ところが元妻は、とんでもないことを言い出したのである。

「出所したら、彼と再婚してもう一度やり直します。そのためにも、しっかり更生してほしい」

耳を疑った。なんでそうなる。イカンよ、その選択は間違いだ。もし愛情が残っていたとしても、ここで突き放さなければまた同じことの繰り返しになる。アンタはそれでいいだろうが、子供が可哀相じゃないか。

そもそもアンタは仮釈放中のシャブ使用すら防げなかった女だろう。目先の人助けとか同情とかで、うかつにヨリを戻すなんて……。

犯罪者だけではない。ここにもまた、だめな女がいたのだった。

早婚→離婚（子供）というパターンだけじゃなく、だめな女は人間関係を断ち切って人生をリセットするのが苦手なのかもしれない。

「あ、あとは愛情です！」

追いつめられた証人の金切り声が響き、あまりにも寒いセリフに、法廷をしらけた風が吹き荒れた。

証人は、娘が高3から覚醒剤を使用し、いったんやめたが最近になって再開、密売人に直接電話して買うようになったことなど露知らず、突然の逮捕にオロオロするばかりの母親だ。

再開した理由は、恋人との別れ、両親の離婚による父親との別れ、愛犬との死別のトリプルショックに耐えかねて、ということらしい。

半年以上にわたって週に2回ペースでやっていたというから立派な中毒患者だが、そんなことはどうでもいい。聞いていて嫌になるのは、娘と母親の激甘な人生観なのだ。

よくある団塊ファミリー。金には不自由せず、表面的には仲良く暮らしているけど、実はまったく心が通じ合ってない。

娘の立ち直り計画はこうだ。

「これまで自分には目標がなかったが、夢が見つかった。犬が好きでトリマーの仕事がしたいので専門学校に通おうと思う」

25歳までいっさい働かずシャブに溺れ、今度は学費持ちで専門学校かい。親離れする発想はないのかね。犬が好きだから……小学生じゃあないんだよ。

でもまあ被告の立場もあるし、ややオーバーなくらいに言わないと場が収まらないってこともある。これは許そう。しかし、決定的にだめなのが母親だ。トリマーの学校に行くなら全面協力したい。夢が見つかれば今後は悪いことをしないと思う。なぜなら、もともといい娘だから……。

むちゃくちゃな理屈である。こういうのを無責任というのだ。子連れでシャブに溺れる母親は限られているけど、こんな母親なら日本中、無数にいるのだろうな。ある意味こっちのほうがタチが悪いと思う。

「あなたは一緒に暮らしていて娘の様子が変だとも気づかなかったんでしょう。また、覚醒剤の後遺症についても調べていない。愛情ならこれまでも注いでいたのではないですか。それで十分だと言い切れますか」

クールな検察官の指摘に、母親は取り乱す。涙を流してその場の思いつきを言葉にした。

「必要ならカウンセリングに通わせます！」

「どのような？　どこのカウンセラーに？」

質問に答えられず、問題をスリ替えるために母親はまた絶叫。

「子供に手錠をつけて家の中に置いておくわけにはいきません。バックアップはいくらでもいたします！　私は、私は子供を信じています!!」

その後、この母親は裁判官が見かねて止めるまで、検察官にボロカスに言われ続けた。

証人がここまでコテンパンにやられるのは初めて見た。

終わってからも母親は悔し泣きしていたが、傍聴人たちは同情するどころか、振り向きもせずに法廷を出ていった。

リセットしてるねえ。さすが皆さん、わかっていらっしゃる。次の公判が待っているもんな。

★最後の事件は初犯でもあり執行猶予がついた。だめな母親は勝ち誇ったように検察官をニラミつけたが、そんな親を、娘は醒めた目で見つめ、釈放後の廊下では離れて歩いていた。この親とふたり暮らしか。娘が再犯を犯す確率は、思いの他高いのかもしれない。

第11幕　卑劣

ふられた腹いせに女性をレイプ

東京地裁のある建物には高等裁判所も入っていて、地裁同様に席があれば自由に傍聴できる。高裁で審理されるのは、地裁判決を不服として控訴した事件で、これまでの経緯や証拠の見直しを行った上、新たな判決を出す。もちろん、場合によっては逆転無罪なんてケースもありうるわけだ。

高裁での劇的な逆転シーン。う〜ん見てみたい。と、日頃から匂う事件があるたび高裁の法廷へ足を運んでいたのだが、なかなかエキサイティングなシーンにはめぐりあえない。

そう思い始めたある日、とんでもない事件に遭遇した。殺人事件という以外、何の予備知識も持たずに傍聴したのだが、犯行そのものも被告の雰囲気も、ものすごくヘンなのだ。逆転判決ではないが、今回はこの事件を取りあげることにしよう。

1998年9月、東京・清瀬で起きた19歳の女性刺殺事件。事件当時、21歳だった被告のツツミ（仮名）は、以前交際していた被害者にふられたことに怒り、高校の同級生ベッショ（仮名）と共謀して女性を監禁レイプ。その後、ストーカー行為を繰り返した挙げ句、殺害したというものだ。

一見、単純な事件だが、中身はややこしい。実はツツミ本人はレイプしたわけでも殺したわけでもなく、実行犯はすべてベッショなのだ……なんて概略も、ツツミの審理を傍聴しているうちに少しずつわかってきたこと。概要の説明もなく、いきなりレイプ場面から裁判に突入されたら、地裁から追いかけてないと理解に手間取る。

おかげでこっちは事件を理解しつつ、なぜ友人がこの場にいないのか、なぜ控訴したのかなど、基本的な疑問を抱えたままの傍聴となった。高裁も、もうちょっと親切な展開を考えてもらいたいよ。

不完全かもしれないが、傍聴を元に事件を振り返ってみよう。

ツツミ自身が、被害者女性と以前から肉体関係があったとは言わなかったので、付き合いのレベルはわからないが、発端はシンプル。被害者の女性に好きな男ができて、ツツミと別れただけのことだ。

よくある話なのだが、ツツミはこれが我慢ならず、復讐の意味で「強姦」を思いつく。この短絡的な発想が後の大事件の導火線となるのだ。

そこまでしてもヤリたかった。単純に考えればそうなるが、実際にレイプしたのは友人のベッショで、ツツミは「やらせろよ」と迫っただけ。女性が開き直り、上着を脱ぐそぶりで「終わったらすぐ帰るわよ」と言い放ったため戦意を失ったらしい。

自分はレイプしなかったものの復讐は遂げた。事件はそこで終わっていいはずだった。が、ツツミの異常さはこの先にある。レイプの一件を女性が誰かに告げることを恐れ、ストーカー行為を始めるのだ。

といっても、きっちり口止めするでもなく、中途半端につけまわすだけ。不可解な行動だが、これには理由がある。ツツミは女性に未練たらたらだったのだ。レイプまでさせておきながら考えられないが、もう一度付き合えたら、と勝手なことまで思っていたらしい。

しかし、被告席の冴えない青年ツツミに、彼女を取り戻すため努力していい男になろうという殊勝な発想などなかった。

付けまわしたり電話でネチネチ話しても、さっぱり効果がない（あたりまえなんだがツツミには不本意）。それどころか彼女を怒らせてしまった。放っておけば警察に捕まるかもしれない。

もういい、彼女のことはあきらめよう。その代わり……殺してしまおう。いや、自分が殺《や》るのはリスキーだから、ベッショに殺させてしまえばいい——。

何たる身勝手。何たるズル賢さだ。

リストを渡し凶器を買いに行かせる

　ベッショに殺意を抱かせるため、ツツミは巧みな嘘でワナを仕掛けた。

「彼女から口止め料を払えと言われているんだ。払わないと警察に告訴すると言ってる。オレも半分出すから用意してくれ」

　ベッショには、それが作り話であると見抜く力はなかった。そして、借金までして作った金をツツミに手渡す。

　その金を遊興費に散財したツツミは、さらに嘘を重ねベッショを追いつめた。

「実は、また彼女から金を請求されてるんだ。このままじゃこっちが破滅してしまう。もう殺すしかないだろ。殺しちゃえよ」

　何度もけしかけ、ベッショがその気になったところで、犯行準備にとりかかる。

　凶器のバタフライナイフ、変装用の脱色ヘアダイスプレー、高校生風の服、大きめの靴などをディスカウントストアで購入。といっても、実際に店内で「品」を入手したの

は買い物リストを渡されたベッショ。ツツミは店の外で待っていただけである。あくまで、自分の手を汚したくなかったのだ。

犯行当日はベッショだけを現場にやり、自分はアリバイ作りに励んで電話で指示を出しまくった。そして、女性が自宅でひとりきりになったとき、GOサインを出す。

「いましかないぞ、やれ！」

クルマに潜んでいたベッショは、ドアに接近。顔を出した彼女の首や胸など10数カ所を刺して逃走する。が、それも3日間だけ。目撃者の証言からあえなく逮捕されてしまう。

逃走中も、ツツミはベッショと連絡を取り、自分のことはしゃべるなと通告。勾留中にも面会に行き念を押す。そして取調べに対しては「ベッショくんは脅されていたようだ」と、素知らぬ顔で警察に語った。

書いていても気分が悪くなるほど身勝手な《逃げ切り計画》だが、こんな幼稚な作戦が通用するはずもなく、その4日後には共謀容疑で逮捕されてしまう。

これで事件は白日の下に、と言いたいところだが、まだ先がある。なんとこの男、法廷で無実を主張したのだ。

その間、ベッショの裁判は着々と進み、翌春には懲役12年が確定。粘ったツツミもそのかいなく、実行犯より悪質ということで無期懲役が言い渡される。

この判決に、身勝手男ツツミは納得できなかった。どうして殺したベッショが12年で、殺してない自分が無期なんだ、ひどいじゃないか。

ひどいのはおまえだよと張り倒したくなる理由で控訴。ぼくが見たのは、その初回公判なのだった。かなりの公判を傍聴してきたが、こんなサイテーな犯人を見るのは初めてだ。

なぜ言いなりになったのか

事件について反省しているのかどうかすら判別できない無表情のツツミや、いまでも娘を失ったショックから立ち直れない父親の証言を聞きながら、不思議でならなかったのは実行犯ベッショのことだ。

最初から最後まで、ツツミはこの元同級生を利用しまくり、すべての罪まで着せようと企んだ。ベッショがいなかったら、事件はなかったと思えるほどだ。

しかし、被害者への未練が強かったツツミと違い、ベッショには動機らしいものがない。ツツミの公判を聞く限り、言われたからやっただけ。どこにも主体性が見えてこない。

殺人時にはシンナーを吸っていたらしいが、四六時中ラリってたわけでもないだろう。わからんなあ、この男の意志はどこにある。まるでツツミのロボットだ。

前記したように、レイプしたのは確かにベッショである。被害者と面識はあったにせよ、気の弱い男なら、いくらやれと言われたってチンポが立ちそうにない状況で、それをやり遂げている。うむむ、どんなヤツなのか。地味でおとなしそうに見えるツツミに操られるくらいだから、マッチョなタイプは想像しにくい。まぁ、どんなタイプも想像しにくいんだが。

だがしかし、勢いとスケベ心と友情（？）でレイプはできたとしても、今度は《殺人》である。メッタ刺しである。明らかに別次元の犯罪だ。おいそれと踏み切れるもんじゃない。怖すぎる。

ツツミが心理的によほど追い込んでいたんだろう。「おまえがレイプしたんだから、バレたらおまえは終わりだ」とかなんとか、繰り返し誘導したのだ。そして、自分の小遣いほしさに、自作自演で彼女から脅されている話を捏造して金を請求。ベッショはその言葉を疑うことなく、サラ金にまで手を出し、こんなことが続いたらたまらないと、殺害の意志を固め始める。

ツツミは待ってましたとばかりに全面支援を約束。それで納得するんだから、ベッショも素直というか、抵抗力なさすぎ。

裁判官によると、「おれはやってないから罪に問われないが協力する」みたいなソフトな言い方ではなかったようだ。完全に手下扱い。当初はためらう気持ちのあったベッショを脅し、なだめ、はげまし、怒りなどの波状攻撃を続け、思考不能に持っていくことに成功したものと思われる。

しかも、なけなしの金まで巻き上げるなんて、ツツミはある意味、天才的。その才能はベッショに対してだけ発揮されるんだが、こうして、ふたりの犯人は一蓮托生のように見えて、実はツツミだけが得をする犯罪の泥沼に足を突っ込んでいったのだ。

「クルマはベッショくんに用意させて、運転もベッショくんがしました」

「ベッショくんから電話で、いま殺したと言われました」

ベッショくん、ベッショくんと繰り返すツツミ。いまとなっては少しは彼に悪いことをしたと思っているような態度だが、当時は高飛車に命令を下しまくっていたのだ。事の重大さすら考えずに手下を操る卑怯者と、《ツツミ信者》のように命令を実行する単細胞。まったく、こんなコンビに殺されたのでは被害者も浮かばれない。

しかも、この事件にはオマケがつく、なんとか罪を逃れようとツツミが放った嘘の数々が後遺症として残ったのだ。

「まるで娘が脅していたかのように報道され、深く傷つきました」

父親はそう証言すると、涙で声を詰まらせた。

デタラメな供述をそのまま信じたマスコミ

いったいどんな報道だったのか。当時の週刊誌を調べると、『週刊新潮』と『週刊文春』に関連記事が出ていた。どちらもベッショとツツミが逮捕された直後の号に1ページずつ。

『新潮』は事件の概要を伝えた後、捜査関係者の話として、被害者が口止め料を請求していたとふたりが言っていることを紹介している程度で扇情的な記事ではない。

しかし『文春』は、タイトルから被害者が不倫をしていたことを暴露。相手の妻の〈他人の家庭を崩壊寸前に追い込むなんて、身勝手すぎると思います〉というコメントを掲載している。が、何より遺族が可哀想なのは、ツツミたち犯人に口止め料を請求したことが事実のように書かれていることだ。

他にも悪質な記事があったのかもしれないが、実名・顔写真入りの誤報道。裏づけもなく、犯人の言うことをそのまま信じて記事にされたのでは、遺族はたまったもんじゃないよなあ。

　父親は、誤った報道で嫌がらせも受けたと証言していた。その元凶はもちろんツツミがベッショを操るためについた嘘。いくら手を下していなくても、すべてツツミが仕組んだ犯罪である。

『新潮』に高校時代の同級生による興味深いコメントが出ていた。ベッショは高校時代からツツミにイジメられていたのだそうだ。ツツミが買ったオートバイの請求書がベッショに送られてくるような関係だったと書かれている。

　これでやっとイメージがつながる。ベッショは気弱な男であり、ツツミに逆らえない。ツツミは法廷でのしおらしさが本来の顔ではなく、ベッショを私物ぐらいにしか思っていない絶対的な存在。そして、ふたりの関係は高校を卒業しても変化がなかった。だからこそ、ツツミは当初からためらうことなくベッショにすべての罪を着せるつもりだったし、ベッショは無抵抗に従うしかなかったのだろう。

　異様さの根っこにあったのは、イジメだったのか。学生時代の力関係が、殺人事件にまで及んだのかと思うと、本当にイヤな気分になる。

　同情するならベッショである。これでツツミの罪がベッショ以下だったら、傍聴席男のぼくとしても納得できない。

2カ月近く後、判決の日がきた。いそいそと傍聴席に向かっていると、前回は他の公判と重なったためいなかったマニア氏の姿が。ヘンな事件の判決は逃さない。さすがにいい鼻してる。

「どうなりますかね」

声をかけると、即座に返事が戻ってきた。

「棄却だろう。殺ってないったってね、まあ無期でしょう」

ドアが開き、入廷したツツミは、傍聴席最前列にいる被害者の父親に深々と頭を下げた。やっと現実を受け入れる覚悟ができた。そんな表情だ。だが、遅い。あまりにも遅すぎる。

かすかな不安をうち消すように、裁判官は開廷するなり控訴の却下と無期懲役を言い渡した。ツツミは逮捕後、窓口となった弁護士と（自分が無罪である）もうひとつのストーリーを作り、闘おうと相談したという。犯人がサイテーなら弁護士もサイテーだ。

裁判官は不快感を隠そうともせず長々と理由を言い放ち、シメの一言に移った。

「被告は、ベッショにすべての罪をなすりつけようとした。実に卑劣である！」

いいぞ裁判官。考えてきたね、このセリフ。「実に卑劣」でシメようと決めてたね。ニクイ。

ぼくの目の前にいる被害者の父親も、ホッとした様子である。何か声をかけたい衝動にかられたが、部外者に話しかけられるのも迷惑だろうし、だいいち何を言えばいいかわからない。黙って部屋を出た。

ベッショがムショを出るのは、うまくすれば、6、7年後。ツツミは模範囚で過ごせば15年ほどで出所の可能性がある。そのとき30代後半になったふたりの関係はどうなるのだろうか。それでもやはりベッショはベッショなのだろうか。

★いまだに逆転無罪や減刑のシーンには遭遇できないが、高裁へはちょくちょく顔を出す。地裁で文句なく決着したかに思えた事件が控訴されることがあるからだ。大部分は刑期の長さに対する不満だが、なかにはあくまで無実を主張する被告もいる。彼らは本当に無実なのではないかと思うほど、必死になって訴えるのだが、新しい証拠でもない限り控訴は棄却されてしまう。もちろん、正しい判断なのだろうけれど、抵抗むなしく無実の罪で服役することになってしまう被告だっているかもしれない。

第12幕　阿修羅のヤス

裁判所の前で抗議する人々

東京地裁の門前では、いろんな人を見かける。被告や関係者を待ち受けるマスコミの姿もあるが、中心は裁判所に対する抗議活動だ。

15年間、無実を訴え続ける被告を保釈させるべく署名運動やカンパに精を出すグループ。被告のえん罪を主張する人権保護団体。ときにはデモ隊がシュプレヒコールをしていることも（ただし迫力はゼロ）。

裁判所も間違いは犯す。理不尽なこともあるだろう。彼らの行動は「闘う」ことに慣れていない人間には新鮮で、ついつい見とれてしまう。

しかし、ぼくが興味を惹かれるのは断然、単身で裁判所前に陣取って抗議活動をする人たちである。

グループで乗り込むほうが、効率はいいかもしれない。被告を支援するにしてもアピール度は高い。だが、組織的な行動にはオーラがない。どうしても戦略的な匂いがつきまとい、何か物足りないのである。

だいたい、署名ごときで事態が変わるんだろうか。いまどき「我々はぁ、断固闘うぞぉ」ってのもなんだかなあ。

マジメにやってる方々には失礼だが、傍聴好きとしてはやはり、自分は裁判所前にくるしかなかった、気がついたらここに佇んでいたというような切実感、グッとくる感じがほしい。

その点、数こそ少ないが、単身抗議者には味がある。

門前で死んだようにうつむいて動かない中年男。かたわらには、裁判所への抗議文を殴り書きした看板が置かれているが、本人は無言のままだ。

看板を背負って裁判所まできたところでエネルギーが切れてしまったのか。一念発起で勝負に出たものの、通行人に話しかけるのが恥ずかしくなったのか。真相はわからないが、説明不足の看板を横に凍りついている。

そして1時間後、男は決心したように立ちあがり、そそくさと看板を畳んで帰路についてしまった。一部始終を眺めているぼくもヒマだが、つくづくシブいと思うのである。

たまに現れるオバチャンは、自作のメッセージボードを背負っている。先日は日傘にボードの異様な姿だった。

「○○化粧品はインチキ会社だ！」

オバチャンは、心の底から○○化粧品が憎いらしい。主張は明快だが、具体的な説明は皆無。たぶん、かぶれたか何かでイヤな思いをしたのだ。

この恨みをなんとかせねば。そう考えたオバチャンは矢も盾もたまらず行動を決意し化粧品会社にクレームの嵐。相手にされず、逆上して裁判所前にやってきたに違いない。

そこには仲間を募ろうとか、効率よく闘うなんていうこざかしい発想はない。直球あるのみ。まぁ、ストライクゾーンから大きく外れているためか、誰も反応しないけどね。

このオバチャンも目立つわりにおとなしいのが惜しい。話を聞こうと近寄っていくと逃げたりするんだもんな。せっかくいいキャラクターなのに、とぼとぼ歩きまわるだけではなあ。中年男もそうだが、トークが弱い、弱すぎる。

彼らはどういう経緯で裁判所前にくることになったのか。成果はあがるのか。生活はどうなっているのか。ぜひ話が聞きたい。

そんな気持ちで味のある自己主張を展開する単身抗議者を探すこと半年、ついに条件を満たすオヤジが現れた。

長年勤めた会社に裏切られ

オヤジの名は原敏恭。通称ヤス。以前から、ときどき姿を見かけてはいたが、もうひとつ興味を惹かれなかったのは、本を並べ売っていたからだ。抗議活動のように見せて、実は宗教か何かの勧誘じゃないかと警戒していたのである。

でも、チラシを受け取って熟読、考えが変わった。このオヤジ、自らの民事裁判経験をまとめて自費出版し、たったひとりで販売しているのだ。怪しい団体の影はない。

主張はシンプル。

「つらい経験を書いた私の本を読んで、日本の民事裁判をよい方向に変えてくださ い！」

これである。自分の著書を「凄まじい戦いの本」「読めば力が湧きます」と自画自賛する押しの強さも、単身抗議者には珍しい。

値段は分厚い本にもかかわらず1900円。自費出版では原価割れかスレスレのはずだ。少なくとも金儲けのためじゃない。では、何がオヤジを行動に駆り立てたのか。

本を買おうと接近すると、オヤジは猛烈な勢いで解説を始めた。この本に書かれていることはすべて事実。すべてヤスの体験したこと。31年近く勤務した会社に裏切られ、人生をむちゃくちゃにされた男の怒りの記録であり、裁判には負けたが闘いはまだまだ終わっちゃいない。いや終わらせてなるものか……。

身振り手振りも交えてのマシンガントークである。しかもそこには過剰すぎるほどの熱意がある。う～ん、魅力的な人物だ。

購入してページを開くと、本はデカデカと印刷された決意表明から始まっていた。

〈許せるか　こんな会社　こんな裁判　戦いは終わらない〉

全583ページのボリュームは自分史でもあり、自慢話大会でもある。自分のことを「仕事の鬼」「雑学の原と言われた男」とはなかなか書けないよ。

裁判の経緯は詳細でおもしろい。

発端は、55歳のとき。社内のイジメなどで長年勤めた某大手企業に居づらい状態となったヤスは、この際独立しようと社長に面談、退社後も業務委託を受ける口約束を取りつけていた。

だが、それは実行されなかった。退職願を出す場面となって「そんな約束はしてない」と裏切られたのだ。

こういうケースはさほど珍しくないかもしれない。契約書があるわけじゃなし、言った言わないの話になりがちだ。とくに日本の社会では、ダマされたのが悪いってことで、泣き寝入りする人が大半だろう。

ヤスはそんなことは御免だと思った。悪いものは悪い。嘘はよくない。自分の将来のためにも、白黒つけてもらおう。

それまでにも、マンションの駐車場増設をめぐり、住民代表として管理会社を相手に闘ったり、交通事故死した母親の補償問題で保険会社を相手に交渉を重ね、勝利を勝ち取った経験もあった。

そこで裁判を起こし、4年半争った。しかし、甘くはなかった。

サラリーマンが元勤務先を相手に起こしたこの裁判は、日経新聞でも連載コラムとして取りあげられるほど注目されたものの、相手企業はガードを固めて防御に出たため、裁判所はまともに取り合わず棄却。ヤスが揃えた膨大な資料は、ほぼ一瞥もされず無視され、裁判官はまるで会社の言いなりのような結論を出したのだという。めげずに控訴するも実らず、泣きを見るしかなかった。

勝つことを信じ、再就職先も、再々就職先も、裁判に専念するために辞めたヤスの人生は、軌道修正不可能なダメージを受けてしまう。裁判費用は水の泡、いまさら就職は困難なうえに、名誉さえも失った。マンションのローンは3千万も残っている。

どう考えても納得できない。俺の人生をどうしてくれるんだ。怒りはおさまるどころかますます燃えたぎり、一企業から日本の民事裁判改革へと矛先を変えて、エンドレスの闘いに突入することになる。

ヤスは妙に正義感が強く、曲がったことが大嫌いなのである。しかも性格はしつこく粘り強い。

何ができるか。手元には裁判期間中に書きためた手記がある。ヤスはコピーを束ねて手作りの本を作り、販売を始めた。

でも、手伝ってもらった妻が体調を壊すほど作業が大変。仕上がりも貧相で、売り物にするにはふさわしくない。

1999年、懸案だったマンションが売れたのをきっかけに自費出版本を思い立ち、ローンや借金を清算した金額を妻と二等分。自分の金をすべて投入して制作する。この本がきっかけになって、日本の民事裁判は変えられると信じ……。

それから3年。ヤスは裁判所前に立ち続けた。この間にどんなことがあったのか。本によれば、住居は広島。それがなぜ、東京地裁の前にいるのか。謎は多い。

広島から22時間、車を走らせ

数日後、朝イチで裁判所へ行くと、ヤスはすでに活動を開始していた。しかも、今日は仕掛けが派手。畳サイズのベニヤ看板が2枚に、本を置く台、ラジカセからは演説テープが絶え間なく流されている。

熱心なトークにほだされたのか、会社員らしき男が本を買っている。積極的に声をかけ、説明をしたかと思うと、道に迷っている人に的確な指示を出したり、忙しそうに動くヤス。暑さ対策に被っているパナマ帽のようなものが似合いすぎていて、いかにもヘンな人に見える。しかし、そんなことは気にせず陽気な顔でチラシ配布。

看板にはこれまでの売れ行きが書かれており、すでに1300冊を超えていることがわかった。手売りでこの数字は驚異的。いかに数多く裁判所前に立っているかが推測できる。

声をかけようとして歩き出したところで、1台のクルマが目に入った。前後左右に宣伝&告発ビラが貼られたライトバン。ナンバーは広島。ヤスのクルマだ。もの凄い気合いである。まさか、遠路はるばるやってきたんじゃないだろうな。

「ええ、きましたよ。金がかかるから、なるべく高速は使わないようにしてね。22時間ほどかかりましたよ」

広島−東京間は片道千キロ以上。しかも、ひとりで運転してきたという。若いヤツでもきつい行程だが、64歳になったオヤジにとっては苦行のようなハードさである。しかも現場では終日立ちっぱなし、しゃべりっぱなし。

通行人の大半からは白い目で見られ、裁判所からは壁に看板を建てかけるなと嫌がらせを受ける（ヤスは突っぱねてそのままにしている。これも闘いのひとつだから）。体重は数年間で15キロも減ったらしい。

「大変じゃないですか」

「慣れましたよ。私は月のうち1週間が大阪（地裁前）、1週間が東京（同）、あとを広島で過ごしてますからね。なんせホラ、本を売らにゃいかんから、ははは」

それしきのことで音《ね》をあげるくらいなら、見ず知らずの人の心を動かそうなど考えないほうがいい。ヤスの論旨はあくまで明快である。

２０００年2月、広島地裁前に立ったのを皮切りに、去年の春からは、大阪では息子夫婦の家、東京では支援者の家に泊まって販売&啓蒙活動に励む旅ガラス生活をしているそうだ。

「節約ができる居候がベストだね」

ベストって……。本人はよくても泊めるほうは大変だと思うが。ちなみに、少し前までは福岡地裁も攻めていたが、本が売れないので最近はパスしているらしい。

「あそこはダメですねえ。あと広島も売れない。東京を1とすると、大阪が0・45、福岡と広島は0・1以下ですわ」

広島にいるときには朝6時前に起き、スポーツ公園でラジオ体操などして体力作りに励む。インターネットでホームページも立ち上げ、通販の傍ら裁判に無知な人たちの相談にも乗っている。

「資金はどうしてるんですか。本の売

り上げでは喰えないでしょう」

「もちろん。しかし、なんとかやってますよ」

　生活費は年金と奥さんのパートで捻出。余力はすべて活動に注ぐ生活ぶりだという。雨の日も風の日も、裁判所が開いている限り休みはない。立っているときは場を離れられないからコンビニ食。クルマにはクーラーボックスが積みこまれている。

　もし会社の約束が果たされていれば、おそらく事業は軌道に乗り、余生もラクに過ごせたはず。それがこんなことになって、どういう気持ちなのか。

　尋ねると、ヤスはやや芝居がかって答えた。

「30年10カ月勤めた会社に牙を剝き、裁

判を起こしたあのときから、私は阿修羅になったんです」

シビれる生き方ではある

「リベンジですよ。本を出したら名誉毀損で訴えられましたが、どうぞ訴えてくださいと言ってやりました。1年4カ月かけて潰してやりましたけどね、わはは。とにかく、裁判を根底から直していかないと、この国はめちゃくちゃになる。それを一番知っているのが私です！」

「ははぁ」

「日本人には少ないタイプですね。日本人は個人が闘わない。それは私たち世代の責任でもある」

「なるほど……」

「私がやらんで誰がやりますか！」

こうして自ら街に立って活動していれば、必ず思いは引き継がれるはず。ヤスは口元からアワを吹き出しながら訴えるのだった。

思いこみは人並み以上に激しいが、気は確かだ。ヤスのトークには自分に酔ったようなところもあるけれど、イッちゃった人のそれではない。でもまあマトモな感じもないわけで。ビミョウ。ひとり芝居を延々とやってるような芸風とでも言おうか。

平坦な道のりではなかったが、黙々と行動で示すことにより、最初のうちは呆れていた妻も今では納得。息子夫婦も親父の生き様に理解を示すようになったとか。

「人の輪も広がりました。サポーターって言うんですか。ま、これもヤスの行動力の結果です」

本は3千冊作ったから、まだ半分残っている。売り切れになっても、闘いは続く。民事裁判をよくするため、死ぬまで身を粉にするつもりらしい。

裁判所という権力側の敵に立ち向かい、売られたケンカは買い、困った人の相談役にもなる。それが将来の世の中を変えることにつながると信じるヤス。

なぜこんなに自信満々なのかは相変わらずわからないが、なんだか胸をうたれるものがある。

どうせ狂った人生ならば、とことんやるのが男ってもんよ。平穏無事などクソ食らえ。人にどう思われようと進めマイ・ウェイ！

馬鹿げた闘いだ。勝てる見込みはほとんどない。けど、シビレる生き方ではあるよなあ。

「さぁ、いかがです。この本はすべて真実。会社にダマされた男が書いた怒りの書です」

会話を切り上げてヤスが仕事に戻り、声を張りあげ始めた。夕方まで、この調子で突き進むのだろう。

しばらく、ヤスを眺めてから家に帰った。裁判所にきて、中に入らなかったのはこの日が初めてのことだ。

★ヤスはまだ元気で裁判所前に立っている。

第13幕　なぜ露出なんだ？

オナニーを手伝う女もいたらしい

時間ギリギリに法廷に飛び込むと、気弱でおとなしそうな男が被告人席に座っていた。いかにもたいした事件じゃなさそうだが、場の空気に張りがある。夏休みと《わいせつ人気》で傍聴席には若い女がいっぱい。その効果もあってか、検察官にヤル気がみなぎっているのだ。

いいぞぉ。なんといっても検察側に気迫がなかったら裁判は盛りあがらないからな。傍聴席もド素人が多数。わかりやすい展開が望まれるだけに、検察も序盤から飛ばしてくるだろう。評論家かぃオレは。

ちなみに、7月8月はわいせつ関連の裁判が数多く開かれる。春の訪れとともに浮かれてネジのゆるんだチカンや公然わいせつの事件が公判時期を迎えるためで、傍聴マニアの間じゃ《夏の風物詩》なんて言われてるぐらいだ。

「被告は好みの女性の後を付け、エレベータ内で陰茎を露出。右手でしごきながら『バイトしませんか?』とセマった」

おっと、いきなり事件の核心。検察の先制パンチで傍聴席のネーちゃんたちに動揺が走る。

「右手でしごきながら」

なんて言ってくれるんだもん、頭の中に絵が浮かびますよそりゃ。しかも早口に、無表情のまま言うことで、被告の変態性を浮き彫りにするテクニック。プロだねえ、場の空気読んでるねアンタ。

被告は25歳とまだ若いくせに前科多数のわいせつ常習犯。専門学校時代に起こした強姦事件を皮切りに、のぞき、公然わいせつなど前科7犯のツワモノだった。

最初の事件が18歳のときなので、7年間に7度の逮捕歴。ムショ入り期間もあっただろうから、シャバにいるとまったくガマンがきかず、わいせつ行為を繰り返していると考えられる。

今回の事件も執行猶予中の出来事。「1年もたたずに再犯。被告の常習性は明らかです」との検察の主張には説得力がある。

しかし怖いよ。エレベータに乗り合わせただけだと思った男が、いつのまにかチンポを出してオナニーし、手尺だかフェラチオをねだるんだから。

「バイトしないか」と誘ったのは、金を払えば訴えられないという計算なんだと。なんじゃそれは。ふざけるなと言いたい。この変態野郎は経験を重ねたズル賢いやつなのだ。やるなら正々堂々、金など出さずに女にぶつかっていけよ。騒がれたら捕まるっていうギリギリの緊張感に包まれて、やむにやまれずチンポを露出するのが筋だろ。

男はしばしばこの手を使っていたらしい。ということは、バイトした女もいたってことか。まさかいいバイトにありついたとは思わないだろうが、よくやるよ。相手は変態、殺されるよりマシだと考えたのかな。

いくら払っていたのか。5千円くらいか。オナニー補助の相場が知りたいものだが、検察は金額には触れない。傍聴席の誰もが聞きたいポイントなんだがなあ。それぐらいサービスしてよ。

息子を「彼」と呼ぶ、だめオヤジ

弁護士も事件を全面肯定。執行猶予中の犯罪で実刑は間違いなく、争う気はなさそうだ。

あとは、いかに刑を軽くするかの勝負。被告の父親が証言台に立った。

「彼の犯罪は自分の責任が大きい。少年期、私ども夫婦が別居しており、愛情を注がれず育った面がある。だが今回は前回より深く反省していると思う」

父親はいちおう息子をかばってみせる。でも、なんかヘンなのだ。違和感の原因はオヤジが息子を〝彼〟と呼ぶことにある。

「彼は女の子とのつきあい方がわがまま、相手を思いやる部分が少ないと思います……」

どうよこのトーク。他人事かよ。滑舌がいいのも逆効果。息子をほっぽりだして、自分は何やってんだという気持ちにさせられるぞ。

どうせ、おまえの人生だから自由に生きろなんて調子のいいことを言って育ててきたんだろう。そうしたら息子はスーパー迷惑野郎にスクスク成長。別居で生じたトラウマのせいにするなよ。そのくせ金だけはあるのか保釈までしやがって、いかにも団塊世代のバカ父だな。

理解できないのは、被告にカノジョがいたという事実。事件の1週間前には、父親に紹介までしている。そのことを父親は息子の成長の証だとヌカシやがった。

逆だろう。好きな人ができながら、またしても犯罪を犯すのは問題の深刻化だ。

息子曰く、生まれて初めて女性を好きになり、正直に自分を出せる相手にめぐりあえた。結婚も考えていたそうだ。弁護人によれば、その女性は被告を許しているという。時間がかかっても待っている。帰ってきたら一緒になろうと言ってくれている、らしい。

信じられない甘さである。その女は天使かい。だったらなぜ証言台に立たないのだ。答はカンタン。立ちたくないからだ。

うなだれてしゃべる被告の言葉にうなずいているのは弁護士と父親だけ。裁判官・検察・傍聴席は、まったく信用していない。

「大切な人がありながら、なぜ1週間後に犯罪を犯すのですか」

裁判官の口から、当然の質問が浴びせられた。

「彼女に対する気持ちにイマイチ自信がなくて……」

言い訳になってない答弁を繰り返す被告である。きっと理由なんてないのだ。やりたいからやったのだ。いい女を見たらガマンできなかった。露出したかった。それだけ。こいつはビョーキ。治らない治らない。

「正直に自分を出せる相手と言いましたね。では、これまでの犯罪歴を彼女は知っていますか」

「それは……まだ話していませんでした」

まだって、隠してたんだろ。

「そういうのを正直とは言わない」

裁判官、そのとおり。ぼくなんか、女性の実在さえ疑うけどね。ダメ父と弁護士が共

謀してでっちあげてるんじゃないのか。

少なくとも、女に頼み込み、被告に有利なコメントを得るくらいはやってるよな。息子同様、金握らせているかもしれん。だとすると、けっこう払ったな。いくらだろう。

いずれにしても同情の余地なし。執行猶予中の事件は、前回の刑もプラスされるから、公然わいせつ2回分ってことになる。判決は実刑3年でどうだ。

ところが、検察の求刑はたった6カ月だった。たしかに、露出魔なんて凶悪犯罪に比べたらつまらん事件ではある。でも、半年でシャバに戻れるとなったら、反省したことなど忘れて絶対またやるに決まっているのだ。それでいいのか裁判官！

ほしかったのは子種だけ

ビョーキ露出男の裁判は、見ていてラクだった。被告と自分とは人種が違うと思えたからだ。でも、次のはリアル。埼京線下り電車での強制わいせつ事件である。

この事件も、被告は全面的に犯行を認めており、情状部分での駆け引きが主体。執行猶予狙いなのだが、それを獲得するために妻が証人として登場。思いがけずリアルな裁判となった。こういう拾いモノがあるから傍聴は楽しい。

被告は40歳前後の、見るからにマジメな会社員だ。初犯であり、しょげかえった姿と、目の下のクマが哀愁を漂わせている。

傍聴に入るのが少し遅れてしまったため、すでに検察による事件の概要説明は終了。妻が証言台に向かうところからスタートだ。

バカ父の後だけに「今度はバカ妻か」と、この時点ではまったく期待してなかった。ところが……。「私たち夫婦は子供に恵まれず、なんとか妊娠したくて結婚以来ずっと努力を重ねてきました」

しっかりと裁判官を見据えて、語りかけるように話を始める妻。単なるチカン事件だろうというぼくの先入観は、証言が進むにつれて崩れ、事件の持つ深さにひきずりこまれていった。

どうしても子供がほしかったのだと、妻は繰り返し強調する。

１９８８年に結婚した夫婦は、90年代に入った頃から不妊治療を受け続け、ボーナスをすべて治療代に注ぎこんだという。それでも妊娠しない。ふたりは悩み、5年前には妻が体調を悪くして、卵管摘出手術を受けることに。妊娠は絶望的になったかに思えた。だが、妻はあきらめない。体外受精に活路を見出し、ダンナの精子と自分の卵子を強引にくっつけ、とうとう出産に成功するのだ。

すごい執念だ。ほしいのは子種。手段は選ばない。徹底している。

実際、子供はいま2歳に成長しているのだからハッピーエンドと言えなくもないのだが……。

「卵管摘出手術後は、性交渉がありません。ムダですから」

子供ができなければセックスなど無用。夫婦はかれこれ5年もヤッてないのだ。ダンナにしてみれば30代半ばの貴重な数年間をセックスレスで過ごしたことになる。

これには淡泊なぼくもビックリだ。しかも理由がムダだからってのはひどくないか。ノーである。ノーである。

では、ありあまる性欲を夫は浮気で解消したか。ノーである。風俗で遊んだか。ノーである。そんなことができたなら、数年後の悲劇はなかった。夫は深夜、ひとりでオナニーしていたのだ。

いや、オナニーはいいんだ。結婚後もほとんどの男がときどきはやっているはずである。だが、それは余裕の産物。性交渉とは別の楽しみだったりするものだ。

だが、この場合、状況が悪すぎる。マジメ男だから遊びはできない。そもそも治療に金がかかるからこづかいもない。妻からは拒絶。仕方なく、性欲処理だけのために妻の目を盗んで自慰にふける亭主。

この妻には色気のカケラも感じられないから、ズリネタは何だったんだろう。グラビアか、会社のOLか。いずれにしても想像するだけでつらい光景である。

「何をしているか、薄々わかっていましたが、私が拒否していましたから、見て見ぬ振りをしていました」

隣室での夫の行為を知りつつ黙認の妻。オナニーで済むなら、好きでもないセックスにつきあうよりはマシということか。

こんなことが5年も続けば欲求不満が限界に達するのも無理はない。もうこれ以上ガマンできないと夫は思った。

「王子警察からチカンで逮捕と聞いて驚きました。私がついていながら主人にこんなことをさせてしまって」

妻は泣くこともなく、見事に場を仕切っている。イヤな女。悪妻。聞いていて本当にそう思う。

と、そこで気づいた。そうか、これは作戦なのだ。自分が悪妻役に徹することにより、裁判官の同情を買い、夫の刑を軽くさせる狙い。弁護士も妻をセーブすることなく赤裸々にしゃべらせているしな。

その上で、力強いシメのセリフが口から出た。

「離婚の意志はありません！」

なるほどなあ。そんなにセックスしたけりゃソープでも行け、の一言で済んでもおかしくない夫に対し、ものすごい同情心がわいてきたもんな。

結局、コイツもチンポ出し男

情けなかろうが何だろうが、夫に他の選択肢は思いつかなかった。いよいよオナニーでは満足できなくなり、捕まる1カ月ほど前から、会社帰りに何時間も電車に乗っては犯行を重ねるようになってゆく。

マジメ一筋の男である。バレたら会社をクビになるかもしれない。妻や親戚に顔向けもできない。それでも、このままセックスレスで生きるのは耐えられなかった男のサガ。そこが哀しく侘びしい。

悩んだだろうなあ。孤独なオナニー男から犯罪者へのハードルはとてつもなく高い。ぼくも以前、一度でいいからチカンをしてみたいと思って何日間か電車に乗り込んだが、しようと思ってできることではないよ。ターゲットを選び、接近し、タイミングを計って、実行。そのどこかでビビったり自制心が働いて、気持ちが萎えてしまう。

一線を越える寸前まで、夫は迷いに迷ったはず。やりたいけどやれないモヤモヤで5回はオナニーしたとみるね。そして、実行の瞬間。生身の女に手が触れたときなんか、血圧ビンビンにあがって失神寸前だったんじゃないの。エキサイトしすぎて漏らした確率さえ高いと推定される。

でも、うまくいってしまった。たぶん、すんなり成功したのだ。だから、後戻りできなくなってしまった。

夢中だっただろうな。捕まるまでの数カ月間は、夫にとって人生で一番充実した時間だったかもしれない。妻によると、罪悪感も手伝ってか、家でも優しかったそうだ。

小さな事件だけれど、ドラマだなあ。まあ、結果的には、ぼくみたいな赤の他人に恥部を覗かれたわけだけど。

傍聴席で感慨にふけっていると、裁判官がまとめに入った。

「被告は性交渉ができないストレスから電車内で陰茎を露出し……」

なに、露出だと！

こいつもまたチンポ出し男だったなんて信じられない。どうして普通のチカンじゃないんだ。

なぜ触らず出すかね。おまえは妻にセックスを拒否され、女に飢えた夫ではなかったのか。どっちにしたって犯罪なんだし、直接行動に訴えないのは納得できない。

だいいち、触るのと見せるのは、まったく別物。個人的な経験から言っても、触ってみたいとは思ったが露出など頭にすら浮かばなかった。

そのことから考えても、夫の性欲はかなりネジれたものになっていたんだろう。ぼくのなかで膨らんでいたドラマも台無し。理解できない夫の勝負パターンに、同情心はみるみるしぼむ。被告席の沈痛な顔もマヌケに映るだけだ。

なぜ出すのか。素朴な質問に答えてくれる人はいない。露出なんて、よくある犯罪のひとつなのだろう。動機の追及などそれ以上行われず、公判は終了。保釈中の夫は妻と一緒に廊下に出た。

死ぬまで、子供しか愛せない女の言いなりに生きていくしかないのか。せめて再犯のときには触ってほしいと思う。意地を見せろよ。男の意地を。

★どんな複雑な背景を持っていたとしても、ドラマ性が薄いのが強制わいせつ事件。とくに露出系には「やむにやまれず犯行に及ぶ」必然性が感じられないのが残念だ。そういう事情だったら露出もやむをえないと傍聴人を納得させるような、奥行きと深みのある事件を待っているのだが……。

第14幕　リアルな離婚

中国人の妻は風俗エステの経営者

いつも刑事事件ばかりを傍聴してきたが、今回は民事を狙ってみる。離婚裁判がリアルでおもしろいと聞いたからだ。

家庭裁判所で決着がつかず、地裁までエスカレートする理由は何か。おそらく、法廷では感情むき出しのドロドロ劇が展開されているに違いない。

毎日、軽く5件以上は開かれる離婚裁判の中でも、狙うべきは、スケジュール表に〈証拠調（本人）〉とあるもの。当事者の夫婦が出廷し、証言するという意味だが、それ以外は代理人たる弁護士同士の事務的なやり取りだけだからつまらない。

該当するものからひとつを選びドアを開けると、傍聴席はガランとしていた。裁判官、弁護士、当事者夫婦すべての視線が、ぼくに突き刺さってくる。

無理もないよな。プライベートな夫婦の問題を、赤の他人が聴きにくるんだからイヤな気分だろう。趣味で傍聴されたら腹も立つわな。でもまあ、これも国民の権利。じっくり聞かせてもらいますぜ。

まずは、ざっと筋書きを説明しておこう。

スナックでバイトする中国人妻に夫が声をかけたのがきっかけで、ふたりは1994年結婚。夫の仕事は建設現場作業員で、最初はアパート暮らしだったが、その後、中華料理店を営む両親と同居、妻は店を手伝うように。しかし、妻と両親との折り合いが悪く、再びアパート暮らしに戻る。

子供はふたり誕生したが、専業主婦だった妻の帰宅が次第に遅くなるなどで亀裂が走り、夫は興信所に浮気調査を依頼。そこで新たな疑惑が発生し、いよいよ修復不可能になっていく。

妻は対抗策からか、しばしば中国に帰省しており、半年前からは子供を実家に預け、夫に渡さない構え。そこで、業を煮やした夫が離婚を申し立てたが妻は家裁に出頭せず、訴訟を起こすことになったというしだいだ。

夫が日本人で妻が中国人の国際結婚ってだけでもドラマの要素がありそうなのに、妻の怪しい行動あり、興信所を使った夫の調査あり、中国に行ったきり戻ってこない子供をめぐる争いありの複雑さ。さすが、《地裁に来る離婚》は違う。傍聴人・北尾も、メモを取るだけで精一杯の忙しさである。

原告である夫はまず、結婚後、妻が人が変わったようにヒステリックになり、食事の世話もせず、掃除洗濯も自分がやる始末だったことを訴えた。

朝6時には起きてマジメに働いてるっていうのに、この仕打ち。ロクな妻ではないってことを印象づけておいて、証言は核心部分に移る。

「平成11年頃から帰宅が遅くなり、無断外泊もしょっちゅう。週に5回のときもありました。聞いても、理由は教えてくれません」

それは怪しい。というより明らかに異常。だめ妻だけならガマンもするが、不良妻はさすがにイカンだろう。妻がそんなことしたら、オレだって離婚だ……。ぼくの気持ちもグッと夫側に傾くってもんだ。

「ある日、彼女の手帳に見知らぬ中国人との写真が何枚も挟まっているのを発見し、私は浮気を疑い、興信所に調査を頼みました」

ここがよくわからんなあ。他に選択肢ないのかね。でも、とにかく調べたと。そうしたら浮気の証拠の代わりに仰天事態が。なんと、妻は赤坂の風俗エステ経営者になっていたのである。

うはは、すごい展開だ。腰が抜けたかもしれんな。これじゃ離婚を決意するのも、子供を自分が育てたいと主張するのも当然。フツーに考えて夫の勝ち。勝負アリだろう。

だが、すごい形相で夫をニラミつけていた妻は、一歩も引かず応戦する。

家事はちゃんとやっていた。育児も問題なかった。貯蓄ができないというが、それは収入が少ないからで、無駄遣いはしていない。もちろん不貞などない。エステは友達に名前を貸して200万の名義貸料をもらったもので、経営してない。そこで働いたこともない。親戚のスナックを手伝っていただけだ――。完全否定である。

でも、名義を貸した友人の名は明かさず、スナック経営者の証言もない。興信所はエステで受付をする妻の写真など、証拠をたっぷり用意している。傍聴席からちらっと見えた夫以外とのツーショット写真も、デート中の雰囲気だ。

水っぽい容姿といい、不利なことになると日本語が理解できないポーズを示す抜け目なさといい、油断のならない女にしか見えない。

やってるね。エステで一儲け企んだに違いないよ。それどころか自ら接客までしてたと言われても、ぼくは驚かん。

ただ、夫も弱点だらけだった。この男、ア○ウェイのメンバーになったり、自己啓発の会に入ったりして、仕入れや高額の参加費を払うために借金までしていたのだ。

その後も妻は涙の訴えを続け「夫はしっかりしてないから子供ふたりを育てることなどできない」と断言。この証言により、ラクしてゼニ儲けを考える甲斐性なしというイメージができあがる。現場で必死に働くマジメな夫像は吹き飛んでしまった。

妻はけしからんけど、夫も情けない。ぼくの気持ちも、妻と夫で子供をひとりずつ育てることで手打ちしちゃあどうだ、と変化してしまったよ。

裁判官がどうケリをつけるか、楽しみにしていたが、「あとは話し合いで」と判決には至らなかった。その後見た離婚裁判もすべてその流れだったから、民事事件は協議による決着を目指すのが裁判所の方針なのだろう。

子供がいなければ殺してやりたい

最初の裁判は国際結婚だったこともあって、リアリティがもうひとつだったが、次のは迫力があった。カギを握るのがDV（ドメスティック・バイオレンス）、夫の妻への暴力だったからだ。しかも、夫婦ともどもが医者のエリート対決で親権争いもしている。スタート前から両者ニラみあうシーンが目撃されるなど、憎しみのオーラがムンムンだ。

原告の妻は、夫の暴力癖に気づいて離婚を意識してから、何かあるたびに同僚医師に診断書を書いてもらうなど用意周到。腫れた顔面の写真も撮影している。DVを認めさせ、子供を自分のもとで育てるという目的もハッキリしている。

そのかいあって家裁でも作戦どおりの勝利を収めたのだが、夫が子供の引き渡しに応じないため、業を煮やして地裁に訴えたのだ。

一方の夫は、離婚には応じる姿勢でいるが、DVについては否定。子供も自分で育てたいと受けて立った。医者だし、DV野郎の汚名を着せられたら将来に関わるもんな。

引くに引けないってとこか。

　妻のてきぱきした証言で公判はスタート。DVの事実を詳細に語る様子には自信がみなぎっている。被告側弁護人の突っ込みにも早口で応対し、あやふやな質問には喰ってかかるなど、気の強さと理屈っぽさをうかがわせる。

　男社会のなかで肩肘張ってがんばってきた、そんな感じ。融通がきかないっていうのか、家庭でもきっちり家事分担とか、男女同権を主張しまくるタイプだ。美人だけど、疲れそう。オレだったらこんな女ゴメンだな。オレの好みはどうでもいいか。

　だが、夫は自己主張の強い妻さえ見下すような、エリート意識丸出しの男だった。妻の証言中も薄ら笑いを浮かべ、軽蔑の視線を投げかける。それが、わざとらしい余裕のポーズっていうか、パフォーマンス臭いのだ。

　内心ビクビクのくせに。正直になれよ。こちらとしては夫の立場でリアルに裁判を体験したいのに、これじゃ感情移入できないではないか。

私生活でも自分が外科医、妻が耳鼻科医なので、バカにしていたと言うしな。いや、真実はどうだかわからないよ。でも、いかにもそうだと思わせるエラソーな態度は、裁判官の心証を悪くするってことになぜ気づかない。それとも、わかっていても本音がニジミ出るのが裁判なのか。

妻の妊娠中、逆上した夫が言ったとされるセリフも、医者だけにリアルに聞こえる。

「子供がいなければ、おまえなんか殺してやりたい」

メスを握って迫ってくる絵が浮かぶもんなあ。

DVの件は妻が押し切った。夫も完全否定はできない。暴力を振るう気はなかったとの言い訳つきで、一度だけ手を挙げたことは認めた。

妻が主張したのは4回だ。で、耳がおかしくなった、顔の一部が腫れたということだが、回数はどうでもいい。殴る蹴るの暴力亭主とはほど遠くても、別れたい妻から見れば、暴力が離婚を有利に進める絶好の材料になるのだ。

ぼくは妻に手を挙げたことはないが、何気なく背中を叩いたこともないかと聞かれたら「ある」と答えるしかない。妻が苦痛に感じたと主張し、直後に医者にでも行って痛みを訴えたら、何らかの診断は下されるだろう。

裁判では冗談のつもりでとか、そんなのは通用しない。やったか、やらなかったかだ。怖いよ、これは。

残る焦点は娘をどちらが引き取るか。この夫婦には、妻の実家に夫とその一族が出向き、強引に奪い返した経緯がある。だが、この問題も勝負はついた。

夫は現在、千葉の病院に転任しており、娘は実家に預けている。娘を実家に預ければ毎日は会えない。なのに転任を受け入れたのはなぜか、という質問に得意満面で答えたのだ。

「○○病院は外科手術では全国で五指に入るところです。私のキャリアにとっていい話ですし、ひいてはそれが娘の将来にもつながるとの判断から……」

妻、圧勝。でも、娘の将来は暗い。

一発だけ思い切り殴りました

風俗店への金融を専門にやっている会社の金髪縛り亭主と、その会社で働いていた事務員の夫婦も、DV離婚。これはわかりやすかった。なかなかパワフルな暴力男なのだ。

こいつもまた、作り物めいた薄ら笑いで強気を装い、殴られたという妻の主張に平然と答えてみせた。

「被害妄想じゃないですか？」

おいおい、被害妄想で壁がブチ抜けるかよ。ここは、酔ってフザけて壁を叩いたことにでもしとけよ。

「妻に手を出すのはガマンして、壁に八つ当たりしたんです」

苦しいなあ。防御がメチャ甘。

「あなたの同僚らと飲みに行ったとき、奥さんを殴ってみんなに止められていますね。しかもその後、他のお客さんに絡んだ」

「あ、あれですか。一発だけ思い切り殴りました」

おいおい、ウソでもいいから否定しろよ。これで妻側の証言はほとんど認められたようなものではないか。

先に手を出したのは、たいてい妻らしいが、それは不思議なほど問題にされない。DVは基本的に夫による妻への暴力と考えられているのだろう。なんか不公平だが、それが現実だ。

DV疑惑で不利になった夫は、救いを求めるように何度も弁護人に視線をやる。うむと頷き、急に激しく妻の金銭管理のだらしなさなどを指摘する弁護人。どっちもどっちのムードに持っていきたそうだ。

この妻は毎月の電話代に4万円も使い、ゆとりもないのにプードル犬を飼う、生活力のない女。受け答えもトロく、その場しのぎのいい加減そうな証言が多い。

だが、性急すぎる質問に、原告側弁護人が「恫喝だ」と不快を表明。裁判官もそれを認める最悪の展開になってしまう。

こうなったら、親権奪取にホコ先を変えるしかない。妻は現在、月収10万円のアルバイター。24歳と若く人生経験も少ない身で十分な子育てができるのか！

しかし、反撃はここまでだった。さっきからムカムカしていた妻の弁護人が満を持して質問に立ったのだ。

別居前に月収50万あった夫は、不況で収入激減。しかも、今月いっぱいでリストラが決定し、再就職のアテはない。貯金もなく、子供の面倒を見てくれる肉親も近くにはいない。さらに、部屋を又貸ししていた人間が出ていき、ますます生活が苦しくなっていることまで明かされ、男はうつむくばかりである。泣いているようだ。

刑事事件でもないのに、プライベートな情報が暴露されてしまう。もうそのくらいにしてやれと傍聴席から声をかけたくなったところで、トドメの一言。

「そんなアナタの現状で、責任を持って子供の養育ができますか。仮にこの先、仕事が見つかり、経済面が安定したとしても……。以上です」

あえて口に出さなくても、効果は十分だ。夫の暴力性が子供に向かわないという保証はない。ムチャクチャな理屈ではある。だから弁護人は言葉にしなかった。裁判官の意識をDVに引き戻せればそれでいいのだ。

終了後、エレベータに乗り合わせた弁護人は、ぼくがいるにもかかわらず、マヌケ顔の妻に向かって軽快に言い放った。

「大丈夫、勝てるから。こんな楽勝とは思わなかったけどね、あっちは仕事もないんだからさ」

ふー。今月は疲れた。教訓はひとつ。殴ったら負けってことだ。どんなに激しいケンカになっても、絶対に手を出すのはやめよう。万一、離婚することになっても、家裁で終止符を打とう。ぼくは、そう誓いながら裁判所を出て、家路についた。

★離婚裁判を見ると、夫婦というものが、赤の他人同士がくっついたものにすぎないことを再確認できる。裁判にまで持ち込まれる離婚裁判では、金銭でモメているか子供の奪い合いをしているかであることが多く、臨場感たっぷりだ。特徴はお互いの言い分に隔たりがあることで、ぼくはそれを「どちらかがウソをついている」ように書いている。

だが、その後の傍聴経験から思うのは、物事なんて、見る角度によってまったく違うように見えるということ。一方にとっては冗談交じりの発言のつもりでも、相手が深刻に受け止め傷つけば

「ひどい言葉を浴びせかけられた」ことになってしまう。酔いつぶれて手近なサウナに宿泊することも、無断外泊には違いない。普段それが問題にならないのは夫婦間がうまくいっているからなのだ。愛情とか、信頼感とか、目に見えないものに支えられて、表面化しないで済んでいるのである。考えてみれば、死ぬまで連れ添う結婚生活って奇跡のようなものなんだよな。

なお、当時は気軽に傍聴することができた離婚裁判だが、いまでは基本的に非公開で行われるようになっている。個人情報保護のためにも、やむを得ない措置だと思う。

第15幕　ヤクザがいっぱい

廊下の話題は今夜のハンデ

手応えのある裁判にぶつからないときがある。その日も、担当オガタがきたというのに空振りの連続だった。

もっと刺激的な事件はないのか。傍聴席でぐっとテンションがあがるようなやつが。そんなことを話しつつエレベータを降りると、そこにいた。刺激的すぎるほど迫力のある皆さんが10人ほど廊下を歩いていらっしゃる。法廷に向かっているようだ。

迷うことなく後を追う。ぼくはまだ、傍聴席にヤクザが陣取るような裁判を見たことがないのである。覚醒剤や恐喝事件で被告が組員というのは数々見ているが、裁判に大勢の仲間がやってくるケースに遭遇した経験はゼロ。ロビーにその筋の方々があふれている光景を目撃した程度だ。実際の現場がどうなっているのか、ぜひ見てみたい。

法廷入り口付近にはすでに数人、その筋の男たちが待機しており、組長らしき人が近づくと、姿勢を正して挨拶する。場を仕切っているのはダークスーツに身を固めたコワモテだ。ノコノコ後から続いた我々に鋭い視線が飛んできたのは言うまでもない。

オガタとともに壁際に移動し、様子を見る。若い女性がいるのは、組長の妻だろうか。しきりに頭を下げているところを見ると、おそらく被告の妻だな。わざわざ組長が足を運ぶってことは、まさか息子。いや、その割に組長の表情に余裕がある。可愛がっていた組員、そう考えるのが正解だろう。全部、勝手な想像だけど。

それにしても一般傍聴者がこない。他で大きな事件でもやっているのか、傍聴マニアの姿もない。ロビーで待っているのは、我々を除くと15名ほどの被告関係者と弁護人だけである。

そのため、ぼくとオガタはピッタリくっつき、うつむきがちにボソボソしゃべることになる。目をあげると必ず誰かと目が合うので怖いのだ。

裁判所でインネンつけられるとも思わないが、こっちは冷やかしの身。関係ないのになぜ傍聴するんだ、とスゴまれたら返す言葉はないのだ。もちろん、傍聴は国民の権利だからなどと開き直る根性があるはずもない。しかし、裁判は見たい。だから、なるべく目を合わせたくないのである。

まあ、意識過剰になっているのはこっちだけ。先方は我々など眼中にないだろう。それどころか、奥の方では何人かがリラックスムードで雑談中だ。この一群は、派手なシャツや刺繍入りTシャツなど、服装もくだけている。

「野球の方、調子どう?」

「ったくもう、オリックスで3連敗だよ。こうなったら、今日もオリックスで押すしかねぇと思ってるけどよ」

「オリックスか。ハンデいくつ出てんの」

おいおい、でっかい声で野球賭博の話してるよ。裁判所の廊下でハンデの確認。う〜ん、シビレる会話だなあ。さすがにキモが太いわ。何をホメてるんだかわからんが、これが聴けただけでも後をついてきてよかったと思う。

大親分もナットクの無罪主張

事件は、被告である山本組（仮名）組長が、営利目的で覚醒剤を輸入・不法所持していたというもの。それ自体は平凡な罪状だが、量が100キロ以上とすごい。末端価格がいくらになるのか想像がつかないくらいである。

事前に情報をキャッチした警察が長時間の張り込みを行い、最終的に駐車場に止まったクルマを捜査、ブツを発見しただけに、検察側は自信満々。

これに対し、山本組長は覚醒剤を隠し持っていたのは組員であり、自分は何も知らないと無罪を主張している。クルマについても自分専用車ではなく、スペアキーで組員が使うこともあったので、同じく捕まった組員がやったことではないかとの反論だ。

苦しい弁明だが、組長が捕まれば組の存続さえ危うくなることを思えば、仕方のないところかもしれない。今日は1年近く続けられた裁判の最終弁論。弁護士は細かい点をあれこれ並べ、検察側の立証を突き崩そうと懸命の反撃を試みている。

ん？　じゃあ傍聴席にいる組長風の年長者はいったい誰なんだ。ちらっと表情を窺うと、落ち着いた顔が目に入った。

そうか。たぶん山本組は小さな下部組織で、その上にもっと大きな組があるのだ。大親分は、山本組長をはげますとともに、ヘタなことしゃべったら組員がどうなるかわかってんのかとプレッシャーをかけるためにやってきたに違いない。

そう考えると廊下で野球賭博話をしていた男たち（大親分系列）と、ピリピリムードで開場を待っていた男たち（山本組組員）がいたのも理解ができるのだ。で、大親分は山本組の範囲で事件が収まることを確信したため、ナットクの表情なのである。

またまた妄想膨らみすぎか。いつものように気軽にメモしたりイラストを描くのは、どこかで監視の目が光っていそうであきらめた。それでつい、考えてしまうのだ。

2時間ほどかかって最終弁論も終了。検察側の求刑はかなりキビシく、18年だった。

組員たちの気が立っているかもしれないと、急いで席を立ち、ドアを開ける。すると、そこにはいつの間に外に出たのか、山本組組員による、大親分見送りのための列ができているではないか。ひぃ。すぐ後ろに当人がいるため、我々は深々と頭を下げた組員の間を通るハメになってしまった。

成り行きである。しょうがないことだ。ビビリすぎだと思う人もいるだろうが、実際怖いんだコレが。ひとりだったら、果たして傍聴できたかどうか自信がない。

「わかるよ。オレも引き返したかもしれん」

おお、オガタもそうか。そうだよな、ふつうの感覚だよな。

「だから、判決の日はひとりで行ってくれ」

いかんよ。それはズルイというものだ。一緒に見届けようじゃないか。

「だめだめ。じゃ、判決までしっかり聞いてくれよ」

周囲は全員ヤクザ

判決の日。エレベータを降りた時点で、ぼくは早くも足が重くなってしまった。公判室へと向かう通路のところに、前回も仕切り役を務めていたコワモテが立っていたのだ。ここから先は関係者以外通行禁止の意気ごみである。初めて傍聴に来たような人間は、まず近寄って行かないだろう。

とりあえずトイレに避難し作戦を練る。判決まであと15分。公判室前の廊下には、ほかの部屋の入り口もあるから、人の出入りはそれなりにあるはずだ。いくらコワモテでも、それを阻止することはできまい。よし、行くぞ。

冷静を装って、コワモテの脇をすりぬけると、公判室前の廊下は、静かな緊張感が漂っていた。今日は大親分がきておらず、軽口を叩く一群もいない。全員ダークスーツだ。負けの見えている裁判だけに表情は暗い。そんな廊下に部外者はぼくひとり。ほかの部屋でも裁判が行われているのだが、人の出入りはまったくない。

窓際まで行き、待機することにした。ロコツではないが、動きを観察されていることを感じる。

彼らの目にぼくはどう見えているんだろう。最終弁論を聞いていたことを覚えている組員はいるだろうか。おまえ何者だと聞かれたら何と答えるべきか。たまたま最終弁論を聞き、裁判の行方が気になったと言うか。ウソじゃないもんな。堂々としていればいい……。頭に浮かぶのはセコい防衛策ばかりだ。まったくイヤになる。

もちろん、誰もそんなこと尋ねはしない。黙って周辺に立っているだけだ。そこに圧力を感じるのは「ヤクザ=怖い」という先入観が加わっているせいなんだろう。

ぼくは逃げ出したいのをこらえ、20人ほどの組員とともに開場を待った。

これが長いのなんの。顔を上げれば誰かと目が合うので文庫本を読むフリをしてみたが、まるで集中できず、かえって不自然になるのでやめた。

そこに助け船。開場直前になって、新聞記者風の男がやってきたのだ。さらに一般傍聴者っぽい人も2、3人きてくれた。

よし、これで何とか。あとはポジショニングだ。万一、場が荒れたときなど、すぐ退出できる位置取りがベストである。

開場すると素早く中に入り、出入り口付近の座席を確保。組員は奥の方に順序よく座ってゆく。例の、被告の妻らしき女は最前列。

最後になって、ぼくの周囲にも関係者が座った。定員50名ほどの部屋がほぼ満席である。一般傍聴人ではなく、関係者がこれほど多く集まる刑事裁判はめったにない。

新聞記者はぼくの3席ほどナナメ前方。すでにメモ帳を取り出し、足を組んで仕事に専念の構えである。場慣れしたプロっぽいしぐさだ。

ぼくも見習おうとノートを取り出すと、隣のボウズ男がじっと見たので躊躇。足を組むゆとりなし。一般傍聴者の位置はわからなかった。目立ちたくない気持ちが先に立ち、振り向くことができなかったからだ。

開廷後、裁判長はすぐに懲役15年、罰金５００万円を言い渡した。一瞬、組員が動揺するのがわかる。思いの外、懲役が長かったのかもしれない。

逆に被告に動揺の色は窺えない。長期勾留されて青白くなった顔に、うっすら笑みさえ浮かべているのが不気味なくらいだ。

ひるんだ様子を見せない組長。痩せ我慢だろうと見栄張りだろうと、意地は貫く。そこにまた組員はシビレる。悪いことはしたが、組長としてリッパな態度かもしれん。ぼくはそっとメモ帳を開き、事件の流れを整理し始めた。

そのときだ。こともあろうに新聞記者が席を立ってしまったのだ。よせ、ぼくを置いて出ていかないでくれと願ったがもう遅い。悪いことに、一般傍聴者までつられるように出ていく始末。

まずい。また孤独な立場に追いやられてしまった。外に出たとき、気持ちが荒れているに違いない組員に絡まれるかも。

出るならいまだと弱気になったが、何とかこらえた。ここまできて、結末を見届けなかったら意味がない。いまこそ《傍聴人魂》を奮い立たせるときなのだ。

アニキ、がんばって！

裁判官は、被告側の主張を却下する理由を詳細に述べていく。

たとえばスペアキーのことについては、検察側は事件発覚後、周辺の業者すべてをあたり、問題となった車種のスペアキーをどこも作っていないことを証明しているので、被告側の反論は「とうてい信用できない」という具合だ。その他の点についても、反論の根拠のなさを的確に示し、ビシビシ否定。裁判における被告の証言の矛盾も見逃さず、あいまいさを指摘していく。

やる気マンマンだ。今日でケリをつけてやるという気迫がニジミ出てるね。あらゆる反論を受けて立ち、そのすべてを粉砕する勢いから、判決に到るまでの過程の激しさが透けて見えた。

にもかかわらず、被告に反省の態度はなく、前科もあり、犯罪の質も反社会的傾向が強い。判決には一点の曇りもなく、一歩たりとも譲る気がないことが、ぼくにも伝わってきた。当然、組員も同様のはずだ。

ここまでカンペキに立証されたら、高裁に持ち込んでも勝ち目はないに等しい。組長はさっきの態度でトップに立つ人間としての責任は果たした感じなので、このまま刑に服することを選んでも不思議はない。

事実、さっきから傍聴席に向かってうなずいてみせたり、頬を緩めたりしている。まるで、妻や組員に「あとは頼んだぞ」と挨拶をしているみたいだ。15年勤め抜いたら、組長は還暦を越しそうだ。事実上、現役引退の日といえるのかもしれない。

いよいよ閉廷。手錠をはめられ、組長が去って行こうとしたときだった。一斉に組員たちが立ちあがり、直立不動で最敬礼したかと思うと、口々に声をかけ出したのだ。

「アニキ、がんばって！」

「カラダに気をつけて」

「アニキ、お元気で！」

驚いた。まるで映画のワンシーンだ。こういうことが現実の法廷でも起こるのだ。組員たちの大声援は10秒ほどで収まったが、しばらくは誰も動かず、組長の姿がドアの向こうに消えるまで見送りが続けられた。奇妙で重苦しい沈黙の時だった。

廊下に出ると、さすがに泣いている者はいないが、呆然として立ち尽くしている者、仲間と暗い顔で話している者ばかりである。

女が携帯電話をかけていた。大親分にでも判決を知らせているのだろうか。

もう誰もこっちのことなど気にしていないことがハッキリわかった。ぼくはホッとして、忘れないうちにと、廊下の片隅で組長の絵を描くことにした。

★このときほど〝部外者〟であることを意識した傍聴はなかった。見方を変えれば、こういう裁判を見ることができるのも傍聴のダイゴ味である。それにしても恥ずかしいほどビビってるが。

アニキッ!
ピシッ
オレ

第16幕　そして被告は今日も寝ている

ド派手な男の地味な戦略

今回は、あの杉山治夫で決まりだと思っていた。臓器ブローカーとして鳴らし、金満教の教祖として札束をまき散らしていた頃の迫力あるキャラクターが脳裏に焼きついていたからだ。今回起こした詐欺未遂事件でも、裁判で大いに騒ぎ、裁判長から二度も退室を命じられたという。

「北尾さんも見ておかなくちゃ」

杉山の裁判はおもしろい。傍聴マニア諸氏も太鼓判を押すほどだった。

しかし、抽選までして傍聴券を獲得したというのに、わずか5分で終了。なんと、被告人側が起訴事実を認めてしまったのだ。ヘタに逆らうより罪を認めたほうがトクだと判断したのだろう。杉山は終始うなだれて「参りました」の演技に徹しているではないか。

派手さで知られる男が、地味な戦略。守りの姿勢。寒い光景である。期待を裏切られた傍聴席からもタメ息がもれている。

くぅ、やってられんぜ。方針変更。派手さでは負けていない法の華・福永法源にターゲットを切り替えよう。

長引く裁判のせいか、大物ながら無抽選なのが不吉な感じだったが、この日は同じく捕まった女性信者3名が法廷に登場し、なかなか《華》があった。

だが、嫌な予感は消えない。傍聴席がガラガラなのだ。無罪を主張して争っている割に、不人気裁判。マニアの姿さえないのは、すでに見限ったということか。

案の定、テンションはあがらない。美容師から信者になった女性の話は具体的で、法の華の信者獲得システムがよくわかるものだったのだが、それだけのことである。

法源は無言、検察は眠そう。典型的な昼下がりのだるい裁判で、どうにもピリッとしない。

大物は大物らしく、見せ場たっぷりの裁判をしてほしいよな。それは傍聴人の勝手な注文か。う〜ん、名前につられるミーハーぶりを反省だ。

本気で争う無名被告

その点、内容だけでそこそこの傍聴人を集めてしまう無名被告の裁判のほうが、小さいながら味がある。

盗んだ免許証で消費者金融のカードを作り、計70万を借り倒そうとした男。警察に協力したプロミスからの「融資枠が増えました」という電話にノコノコやってきたところを御用になっていながら、無理のある主張をしてみせる。

「やってません。でも（犯人の）心当たりはある」

ぜひともその《心当たり》を聞いてみたかったが、検察側は取り合わず、借入申込書の筆跡鑑定で被告の文字と一致していることを示してみせた。

動かぬ証拠と言っていい。万事休すか。でも、被告は強引に踏ん張って真っ向勝負を挑む。

「そうだとしても、やってないものはやってない」

見事だと思った。明らかに使い方を間違えているとは思うが、男の意地を感じた。勝ち目はないにしても、そこにはいい子ぶって少しでも刑を軽くしようというセコさがない。

つきあっていた女から心中を迫られ、睡眠薬を少量飲んでごまかそうとした男にも見どころがあった。

朝、目が覚めた女に「一緒に死んでくれるというのはウソなの？」となじられ、首に手をかけて絞め殺したのだが、検察側は、男が他の女ともつきあっていたことがバレ、嫉妬心の強い相手をうっとうしく感じての犯行と動機を説明した。

が、男は自分が殺したことは認めつつ、独自の理屈で抗弁する。

「何度も頼まれ、気がついたら絞め殺していたので、殺意はなかった」

まるで、相手にも責任があると言わんばかり。さらに、なじられてから殺すまでの記憶が、なぜかまったくないと言い張るのである。

「本当に申し訳ないと思っています。でも、覚えていないんです」

必死なのだ。殺意があれば悪くすれば死刑、順当でも無期。なければ有期刑で済むのだとすれば、いかに筋が通らなくても、検察官にハナで笑われようとも、後に引くことなどできないのだ。

殺人罪で無期懲役を食らい、刑が重すぎるとして高裁に控訴した男もすごかった。まず「私は殺していません」と断言。自分は殺人の罪を着せられただけであると繰り返し訴えるのだ。

事件の細部はわからないが、ケンカか何かふっかけられた相手を殺害した疑いらしい。

「かたきを取るつもりで行きましたが、やめることにしました」

検察側はうんざりした表情で、殺す前に友人に計画を話したこと、自白があることなどを説明する。裁判官もうなずきながらそれを聞き、被告の主張に関心を持つそぶりがない。

腐っても殺人事件。えん罪の疑いがあるとしたら報道陣がきていても不思議じゃないが、それらしき姿はない。

「ですから、私には身に覚えのないことで」

「被告の言いたいことはよくわかりました。席に戻ってください」

まだ粘りたそうな被告を制し、裁判長が言った。顔に《時間の無駄》と書いてある。

判決は次回。控訴が棄却されるのは確実だろう。絶望的な被告の顔。チャレンジは失敗したようだ……。

とまあ、こんな風にイイ味出してる彼らではあるが、問題がひとつ。勝ち目がなさすぎるのである。いくら被告が奮闘したところで、代理人である弁護士があきらめ顔じゃ、裁判として盛りあがりを欠いてしまう。もっと、見ていて興奮するようなバトルはないのだろうか。

喫煙所で、傍聴仲間の下町さんにコボしていると、Aの裁判は見たかと尋ねられた。

その名前には覚えがある。小遣いほしさにタバコ屋のおばあさんをふたり、さらに夫婦者まで、計4名を殺害した凶悪犯だ。残酷なのは苦手なので、これまで敬遠していたのだが……。

「争っているんですか？」

「そうなんだよ。それも、被告は黙秘しててさ、弁護人と検察がやりあってるんだ」

下町さんによれば、やり手弁護士が2人ついていて、しきりに検察側を挑発しているらしい。

「検察が証人として警官を呼ぶじゃない。すると、弁護側も警官をどんどん証人申請したりしてさ。傍聴席が仲間の警官だらけだったこともあるよ」

主役はあくまで㊝と㊕

さっそく傍聴に出かけると、開廷前からほぼ満席である。マニアの姿もちらほら見える。期待できそうだ。

まもなく、被告が登場した。ん？　事件の凶悪ぶりから見て、ギラギラした男を想像していたんだが、年金暮らしが似合いそうな冴えない年寄りではないか。

だが、そう思ったのもつかの間。オヤジはドアのそばに立つ警備員を見て叫んだ。

「あんなとこに立ってたってしょうがないじゃない。だめだだめだ！」

係員に「静かに」と注意されると、ふてくされたように椅子に座る。かなり短気のようだ。カッとすると何をしでかすかわからないオヤジ。傍聴男の心証は早くも有罪へと傾く。

下町さんの話でも、オヤジが100％犯人とのこと。夫婦殺しが発覚した後、タバコ屋殺しを自供したらしい。証拠もそれなりに揃っているはずだ。

ふつうなら全面的に罪を認めておかしくないのに、どうやら無罪を主張しているらしい。検察側の証拠には証拠能力が不十分なのではないかと、裁判そのものの無効を狙っているようだ。

弁護人席にはメガネとヒゲの男がいて、何か相談している。一方、検察側は3名。いずれも、やる気マンマンに見える。

そして、裁判長登場。検察側の証人として、捜査員であり、被害者の解剖に立ち合った警察官が呼ばれた。早くもピリピリしたムードだ。

そうはいっても検察側の証人であり、いわば身内の警察官。通常は型どおりの質問と答で進行する。波乱があるとすれば、弁護人からの質問時だろう。

いまのうちに似顔絵でも描いておくかとペンを握ったとき「異議あり」の声がした。メガネ弁護士が、解剖時の写真を被告に見せようとする検察官にイチャモンをつけたのだ。

どうやら弁護側は、その写真が本当に解剖時のものかどうかに疑問を持っており、前々から「捏造の疑いがある」と言っているらしい。その疑いが晴れてないのに、解剖時のものとして取り扱うのはおかしいということのようだ。

イチャモンは裁判官に却下されたが、これはほんの一例。事あるごとに手を挙げて文句をつけ異議を唱えるのである。その言い方がいかにも嫌味で、検察をバカにしたような口調なのだ。

この挑発に、きっちり若手の検察官が乗ってくる。たぶんメインで担当しているのだろう。くだらないイチャモンにめげてたまるかとばかり、ムキになってやり返すのだ。スキがあれば手段は選ばずの弁護側。弁護士野郎にジャマされてたまるかの検察側。「異議あり」と「問題ないと考えます」の応酬で、証言はたびたびストップする。

裁判長も忙しい。やりとりの多発で速記官の指は動きっぱなしだ。

現場の空気はむやみに熱くなってゆく。これだよ、こんな裁判が見たかった。事件の核心とはものすごく離れたところでのバトルって気がしないでもないけど。

白熱する場で、ひとりだけカヤの外におかれている人物がいた。被告である。最初のうちは傍聴席をキョロキョロ眺めたりしていたが、どんどん姿勢が崩れていき、ついに居眠りを始めてしまった。おいおい、誰の裁判なんだよ。

しかし、それはいつものことなのか、誰ひとり気にしちゃいない。裁判官もほったらかしである。いまここで闘っているのは㊟弁と㊟検なのだ。被告なんかお呼びじゃないのである。

疑問は直接、弁護士に聞けばいい

2時間経過したところで水入り。一服するために喫煙所に足を運ぶ。

マニアのダンディ氏に話しかけられたので、疑問に感じていたことを聞いてみた。

「何のためにあそこまでネチネチ抵抗するんですかね。狙いが全然見えないんですが」

「ははは、それは弁護士に聞いてみたらいいじゃない。紹介しますよ」

紹介って、知り合いなのか。

「まあね。ヒゲの人はタバコ好きだから、ここにきますよ」

話しているうちに、本当にやってきた。

「あの、この事件では国選弁護人として?」

言っちゃ悪いがビンボーくさい被告に、切れ者弁護人がつくのが不思議だったのだ。

「そうですよ。もともと彼（メガネ）が担当だったんですが、余罪が出てきて手に負えなくなったんで、私も手伝うようになったんです」

「細かく異議を唱えるのは作戦ですか」

「いやまぁ、それはいろいろとね」

事件については立場上、あまり触れてはいけないようだ。

「面会などは行くんですか」

「彼がね。でも競馬の話ばかりしているようで……」

だめ被告じゃん。がんばったところで、勝てそうにないよな。

ところで、弁護士はどれほどの裁判を抱えているものだろうか。ヒゲに尋ねると、刑事事件だけで17件あるという。

「彼なんか刑事専門で50件くらい同時進行してるはずです」

げ。月イチペースで審理が行われるとしても、1日に2回は裁判がある計算だ。ライターとは比べられないけど、連載50本も抱えたら死ぬぜ。そんな売れっ子がどうして、わざと進行を遅らせるようなことをするのか。しかも、ほとんど勝ち目のない裁判で。

後半は、ヒゲがねちっこい証人への質問責め。ジレる検察が抗議する図式が続いた。不毛なやりとりのようにも思えるほどだ。だが、ヒゲはさっきこう言った。

「まだまだ続きます。先が長いですから」

まだ1件目の殺人についての段階。すべて終わるまでには2、3年かかるだろう。実は、それこそが弁護側の狙いなのかもしれない。国選弁護人は裁判1回いくらの世界。長引くほど生活は安定する。しかも、この事件は4人も死んでいるから、裁判官としてもあまり簡略化するわけにいかない。検察側がイラついても、どうにもならず、裁判は果てしなく続く。

すべてがパフォーマンスのようでもあり、検察が油断したら証拠不十分にされる可能性を秘めた裁判のようでもあり……。奥が深いなあ。

「この傷が刃物によるものだと断定できる根拠は？」とヒゲが問う。

「異議あり！」と検察官が叫ぶ。

それを子守歌代わりに、被告はいまや熟睡状態に入っていた。

★この裁判は現在も続いている。相変わらずのノロノロぶりで、一向にスピードアップの気配がない。事件そのものの審理で遅れるだけならまだいいが、一度など、被告がつけている補聴器（耳が少し遠い）の調子が悪いというだけで弁護人がしつこく抗議を繰り返し、何度も何度もつけかえさせ、30分近く開始が遅れたこともある。このロコツな引き延ばしにはあきれるばかり。言うまでもなく、国選弁護人の費用は税金でまかなわれている。

第17幕　証人は不倫相手

愛人から恐喝された男

裁判ではしばしば証人が登場する。推理ドラマみたいに、目撃者が証言するのはまだ見たことがないが、事件関係者や被告の家族、友人が宣誓し、質問に答えるシーンに遭遇するのは日常的。離婚裁判のように、夫婦それぞれが証人となってやりあうケースもあれば、前回のように、事件を担当した警察官が証人席に立たされることもある。

そのたびに大変だなあと思うのである。証言でウソを言ったら偽証罪に問われる可能性アリ。それを計算に入れ、質問者はスレスレのところを突いてくるからだ。なかには証人の経済事情とか仕事状況、夫婦仲など、事件に直接関わりのなさそうな質問も。聞いていて、プライバシー保護は大丈夫なのかと思うことさえある。

もしも何らかの事情で自分が証人として出廷することを望まれたら、ぼくは悩む。そして、悪いけどよっぽど近しい人でなければ断ると思う。

今回目撃した証人は、被害者その人である。かつて不倫関係にあった愛人から恐喝され、警察に相談に行った末、告訴したのだ。

自分で告訴し、自分が証言して決着をつける。不倫の過去が丸裸になるリスクを承知で証言台に立つ。字面だけ追えば、度胸の据わった男らしいケリのつけ方のように思えるかもしれない。

だが、これがなんともシマリのない話なのだ。まず、事件をざっと振り返ろう。

そんなにセコいから脅迫されるんだ

被告人のカオリ（仮名）は20歳のとき、妻子ある一雄（仮名・当時32歳）と不倫関係になった。ふたりは同じ会社に勤める同僚。交際期間は平成元年から平成8年までで、カオリの退社により関係は自然消滅する。まあ、よくある話だ。

カオリはその後、年下の美容師と結婚したが、長続きせず妊娠中に離婚。だが、前夫の借金に苦しめられたカオリには預金がなかった。

鬱病の影響もあって精神的に不安定になった（自殺未遂2回）彼女は一雄をユスろうと思いつき、「350万円払わなければ、ふたりの関係をバラす」と電話で脅迫、二度にわたって計100万円を振り込ませる。

しかしカオリはそれでも満足せず、その場の思いつきで「（一雄と妻の）子供がどうなってもいいの。私は筋モノも知っている」と内容をエスカレートさせた結果、たまりかねた一雄が警察に駆けこんだというわけだ。

ひとことで言えば、精神的に不安定な女が、経済的に追いつめられて引き起こした小さな事件。不倫なんてありふれてるし、被告は事実を認めてもいる。傍聴席にマニアの姿はなく、傍聴者もぼくを含めて数人しかいない。ぼくにしても、他の事件までの時間つぶしのつもりだった。

それが、傍聴席に釘付けになってしまったのは、前述のように、被害者自らが検察側の証人に立つと裁判官が言ったためだ。被告席でうなだれている被告の不倫相手が見られるのだ。めったにない機会だけに、ここで席を立つわけには行かない。予定変更だ。で、誰なんだ被害者って。傍聴席を見渡しても《女たらし》っぽい男はいないぞ。

「では証人は前へ」

裁判官の指示で席を立ったのは、意外にも目の前の席に座っていた男だった。なんてことない、冴えない中年。46歳だから、ぼくといくらも違わないはずなのに、見た目は50代。生活に疲れた、なんの輝きも感じられないオヤジである。

この男が、あの女と不倫を。しかも8年間も引っ張って、たぶん何度も何度も何度も(くどい)カラダを貪ったわけだ。う〜ん、リアルだ。ぼくはワイドショー的興味で、じっくり証言を聞くことにした。

検察官は淡々と事件までの経緯を振り返りつつ、質問していった。一雄は潔く不倫を認めたが、口調はすっかり過去の出来事だ。恐喝されたことへの憤りもあってか、厳しい判決を望むという態度である。

100万円払ったことについても、まったく悪びれずに言う。

「私にも、彼女を苦しませたという負い目があった」

同情心と、穏便に済ませたいとの思いから、つい支払ってしまったということらしい。でも、なんかセコい気がしないか。

「私なりに(不倫が公になることについて)悩みましたが、子供に危害が及ぶのは避けたいとの思いから、警察に相談いたしました」

要求どおり350万円払う気はない。でも、ゼロで済ませようとして女房に不倫がバレるのも損。ま、そんなもんだろう。ぼくだって、100万払って済むならそうしようと考えかねない。

それより、気になるのは一連のやりとりに必然性が感じられないことだ。なにしろ相手は罪を認めている。検察側は「示談の目はない」と強調したいのか、裁判官の心証をよくして実刑判決を狙っているのか、よくわからないのだ。

ひょっとすると、証言は裏目に出るのでは。そんなふうに思うようになったのは、検察の質問が一通り終わり、弁護側からの質問に移った頃だった。

注目したのはカオリの態度だ。うつむき加減ながらしっかり前を向き、真剣に証言を聞いている。ふてくされた様子はまったくない。そして、ぼくの個人的な印象にすぎないが、よくよく見ると根がマジメで純情そうな女なのである。

イメージとしてはワハハ本舗の柴田理恵を少し若くした容姿。水商売でもしているのか、髪は金髪。服装も派手だけど、決して悪い人間には見えない。

まだまだ初心者の域は出ないが、ぼくだって、傍聴歴1年以上。それなりに犯罪者を見てきた者のカンとして、単純な被害者&加害者の関係ではないと思えるのだ。

そのカンは、老獪《ろうかい》な弁護士によって徐々に現実のものとなる。

「カオリとつきあっていたとき、ホテル代や食事代はどちらが払っていましたか」

「ほとんど私です」

「愛人として生活費の面倒などは」

「みていません」

「彼女を妊娠させたことがありますね。何回ですか」

「たしか、二度ほどありました」

「堕胎費用はどちらが払いましたか」

「二度目は私が。10万ほど渡しました」

「なぜ別れたのですか」

「なんとなく疎遠になりまして」

「きちんと別れたわけではないんですね」

「それは、はい、そうです」

あくまで事実の確認という感じで深く追及はせず、手際よく質問を重ねる手法。反射的に返す一雄の答によって、かえって鮮明にふたりの関係が伝わってくる。

妊娠させたら堕ろさせて金で解決。世間知らずの小娘をたぶらかし、女が退社したのを幸いにポイ。手切れ金もナシだから、「うまいことやりやがって」のやっかみ気分も手伝い、一雄の冷たさが印象に残るのだ。

おいおい、話がうますぎるぜ。そんなことだから脅迫されるんだよ。ぼくなんか、一雄が傍聴席に戻ってくるときガン飛ばしちゃったもんなあ。すっかり乗せられてしまったよ。

おまえの証言はウソだらけだ

続いては被告人への質問。ここで老弁護士は、さきほどまでの抑えに抑えたテンションを一気に高めて勝負に出る。

「ホテル代や食事代はどちらが払っていましたか」

「ほとんど私です」

質問も答えも一雄のときと同じ。でも、違う。カオリの答は具体的かつ詳細なのだ。

「彼には奥さんも子供もいて、小遣いも月に3万円と限られていたし、給料も安いと知っていましたから、独身の私が出すようにしていました」

「1回のデート代はどれくらいでしたか」

「はい。食事が3千円ほど、ホテル代が4千円くらいです」

給料日前には節約のためカオリの部屋で食事&セックスしたことなども盛り込まれ、傍聴マインドを満足させるリアリティあふれる答えが出てくる。そして、8年間に少なくとも500回逢い引きし、1回7千円支払った計算から、脅迫時に「350万円」という数字が出てきたと、説得力あるストーリーを組み立ててみせるのだ。

堕胎についても、カオリは4回中絶し、すべて自分が負担したという。ではなぜ一雄と食い違うのか。答は簡単。あとの2回を知らせなかったからだ。

「どうして、あなたは自分でお金を出したり中絶を知らせなかったのですか」

男に捨てられるのが怖かったなんていうとメロドラマ的でつまらなくなるが、カオリは傍聴男の期待を上回る名セリフを口にする。

「心のケア代として負担していました」

くぅ、いいねえ。

地方の高校を卒業してすぐ入社し、働きながら通信教育で大学卒業を目指していたカオリは、世間知らずのうえにシャイで、同年代の友人がいなかった。また、当時から鬱の傾向もあったため、心の支えを求めているところがあった。

そこに忍び寄ったのが一雄。カオリにしてみれば、頼れる存在に思えた一雄とのデートは、唯一のストレス解消法だったのだ。

そもそも今回の事件の発端は、一雄からカオリにかけた電話である。3年も会っていなかったのに「携帯を持ったので番号を教える」と連絡したのだ。

なんだよこれは。普通に考えて「そろそろ会いたい」メッセージでしょう。「会ったらヤリたい」でしょう。つうことは、一雄はカオリに未練があったと。タダでやらせてくれる女がほしかったと。ま、そう考えるのが自然だわな。

そりゃ勝手すぎないかい。傍聴男のぼくにだって不倫経験はあり、そんなもんに目くじら立てるつもりもないけど、なんかセコいんだよな、発想が。ぼくのなかで弱い女＝カオリ、つけこむ男＝一雄の図式が完成する。単純だけど、乗せられているからどうにもならない。

被告人擁護の姿勢を固めたぼくは思う。一雄、ウソついてるじゃん。ホテル代は自分が出したなんて見栄を張りやがって。

だが、そんなこといまさら証拠もない。老弁護士は証言の食い違いをまったく追及しないことで、暗に一雄のウソを強調する作戦。そして、頃合いを見てカオリが直面するシビアな現実に目を向けさせていくのだ。うまい、うますぎるよアンタ。

せめて、このオレがガツンと

カオリの現状は悲惨の一語に尽きる。この女、とことん《だめんず》なのである。一雄の後、ヘルスの店長とつきあい、貢いだあげく自分もヘルスに勤務。首吊りとリストカットで自殺未遂し、鬱病で病院通い。やっと見つけた結婚相手は借金残して逃げるわ、妊娠はするわ、腹ボテじゃフーゾクでも働けないわとさんざんだ。

逮捕時、出産を控えていたため拘置所送りをまぬがれているいまは、育児で思うように働けず、週2回のホステス稼業で月収8万円しかない。

家賃5万、託児所代1万5千円を払えば食費すら残らない。両親は病気がちで頼るわけにもいかず、事実、裁判のことさえ負担になるからと伝えていないほどだ。

お先真っ暗。それでもカオリは言う。

「本当にごめんなさい。時間はかかると思いますが、お金は何としても返します」

どうなんだ一雄。カオリは反省してるし、二度と迷惑をかけることなどないだろう。法律的な罪はなくても、《心のケアマネージャー》として、告訴取り下げで手打ちにしてやる度量が、どうしてないかなあ。カオリはもちろん有罪だけど、アンタだって偽証罪じゃないか。もう、ぼくのテンションは上がりっぱなしだ。

が、検察側の求刑は2年。犯罪の動機に同情すべき点があるという弁護人の声を、裁判所が受け入れるかどうかはわからない。ぼくが裁判官なら絶対に執行猶予つけるけど、金をもらい使い込んでいるだけに、どうなることか。

どうにもならないかもしれん。だが、それでは気持ちが収まらん。一雄が出てくるのを待つことにした。こいつのことだ、家族に内緒を条件に捜査に協力し、証人を引き受けたのかもしれない。きっとそうだ。こいつはいつでも安全地帯に身を置いて、セコい人生を送る男なのだ。そしてカオリはボロボロになるばかり。

同情だっていいじゃないか。せめて、このぼくがガツンと言ってやりたい。法廷から出てきた一雄に合わせてエレベータに乗る。運良くふたりきりだ。さあ、言うのだ。でも、何を？　一雄に説教するオレってそんなにエライのか。正義の味方か。言えなかった。一雄を玄関まで見送っただけだった。そして、トボトボ喫煙所に行こうとしたとき、カオリが弁護士に付き添われてこっちに歩いてきたのだ。

気がついたら声が出ていた。

「傍聴してました。あの、執行猶予をぼくは信じて、その」

弁護士がウサン臭そうにぼくを見て先を制し、ふたりは出口に向かった。

★約2週間後の2002年12月9日、判決が出た。懲役2年、執行猶予5年。傍聴席に一雄の姿はなかった。

第18幕　被告たちの年末年始

年の瀬はムショで送りたい

年末は大事件の審理がめっきり減り、傍聴マニアの出勤回数も少なくなる。しかし、正月という最大級のイベントを控えたこの時期こそ泣かせる事件、小さな感動ってやつに出会うチャンスなのかも。根拠もなくそう思い、通い詰めてしまった次第だ。

年末の裁判所には独特のムードがある。正月休みも間近ってことで少々浮かれ気味に見える弁護士や裁判官。それに対し、被告の一部は正月をシャバで迎えるか拘置所で迎えるかの瀬戸際で必死。このギャップが生み出す奇妙な空気が、普段とは違う展開を呼ぶことに……。

必死さナンバーワンは手に職のない常習犯罪者だろう。彼らはムショ暮らしが大好き。かどうかはわからないが、シャバで苦労するなら躊躇なくムショを選ぶステキな人生観を持っていて、年の瀬はそれが最大限に発揮される。

捕まりたくて窃盗とかしてるもんなあ。捕まるつもりでクルマかっぱらって無免許で突っ走っても誰も追ってくれず、わざわざ交番のある交差点で不審な動きを繰り返して、やっと職務質問を受けて自首するオヤジ。軽い窃盗をして予定通りに捕まり、被告人席でニコニコしている常習犯。こういうのは傍聴しててなごむ。税金の無駄遣いではあるけど、ヤケになって人を殺すようなのとは違い、憎めない。臭いメシでけっこう、せんべい布団でＯＫ。目的が明確だ。妙な節度すら感じる。

哀しみのビール19本タダ飲み事件

さて、午後イチで入った詐欺事件の傍聴席。被告である中年オヤジの表情は固く、メガネのツルを神経質にいじっている。坊主頭に無精ヒゲ、作業服、顔色悪し。推定53歳ってところか。

違った。オヤジはぼくと同じ年齢だった。信じられない。それとも、ぼくも若いやつの目には同様に写るのだろうか。

たちまちわき起こる親近感。容疑は何だろう。同じ年に生まれたオレとあんただ。世代はバッチリ一緒。聞いてやるよ、オレがしっかり事情を聞いてやる。

男は北関東で生まれ、高卒後上京。コツコツ働いていたが、少々ケンカ早くて警察の世話になり、前科がついてしまう。これをきっかけに暮らしぶりも荒れがちとなり、仕事を転々。生活費にも事欠くように。

早口で検察官が読みあげるのは、ひとりの男のありふれた転落話だ。でも、「昭和53年に暴行容疑で」とか言われるとリアルなんだよなあ。その頃ぼくもケンカしたことがあった。相手は血を流し、訴えられたら捕まったと思う。昭和60年にまたケンカか。凶暴そうには見えないし、きっといろいろあったんだろう。

オレはその頃にライターになったんだよ。ずいぶん昔のことだ。仕事なかったなあ。結婚はしなかったのか。好きな女はいたけど、そこでも前科がジャマしたのかもしれない。仕事が長続きしないのは社会のせいでもあるのかも。バブルなんてお互い無縁だったってことだ。オレはたまたま何とかなってきただけで、あんたとの距離はたいしてない。仕事がなくなれば、たちまち同じような境遇だ。

で、今回は何をやらかしたのよ。歯止めのきかない不況に耐えかね、雇い主をダマして横領でもしたなら、それはそれでいいじゃないか。どうせこんな世の中だ。オレはあんたを見捨てない。心の友だぜ、ハングリー・ハート！

「……仲間と3人で無銭飲食、現行犯逮捕された。所持金は合わせて0円」

おいおい単なる腹ペコ野郎かよ。しかも、捕まるのを承知でやった犯罪。ハナっからムショ狙いとは。

思い切り感情移入して聞いてたのに、そりゃないぜ同世代。

経緯がまた冴えない。3人合わせて所持金数千円のオヤジたちには労働意欲も働く場所もなく、金の無心をするために、実家に住む被告の兄に会いにゆく。借りたいと思っていたのは中途半端に10万円。ひとり3万ソコソコだ。

でも、あいにく兄は旅行中。そこで仕方なく《経費節減》のため2日間の野宿をする。オヤジ3人の公園生活。キビシすぎる光景。何を話すんだそんなとき。だいたい、くっついてくる他のオヤジは何を考えてるんだ。

そこまでやったのにアニキに借金を断られてしまう。その理由は、「何度も何度も金ばかり借りにきていた」からだ。そこを何とかかと、野宿続行で金のなさをアピール、やっとのことで1万円をゲットする。

でもそんなの、東京に戻る電車賃だけで数千円が飛ぶ。数日後にはとうとう所持金ゼロに逆戻りだ。

「被告人たちは居酒屋で刺身などを食べ、ビール19本を飲んだ」

割り切れないビールの本数が侘びしい。もう食えない、飲めないってところまで胃袋に押し込んだわけだ。小さい、あまりにも小さい事件。

だけど、その小ささがビンビンわかってしまう自分がいたりもするわけで。ぼくも追いつめられたらそんな犯罪しか思い浮かばない人間のような気がする。見放されているのだろう。傍聴席には親族の姿など見あたらない。刑期が半年か1年として、出所したって迷惑がられるのがオチ。オヤジはどうやって人生を立て直せばいいのだろうか。自分がああなったらどうする。想像しても名案は浮かばない。

その日は、裁判が終って家に帰ってもオヤジの残像が消えなかった。

裁判長の粋なはからい

どうも暗いね。話題を変えよう。今度は裏ビデオ販売男だ。

えーと、前科もあり、若気の至りで暴力団員だったこともある男が被告で、背中にはでっかい刺青《いれずみ》も入ってます。以前やった裏ビデオショップ店員のキャリアを活かし、借金2千万の返済を目標に、せっせと売りまくりましたが、堂々とやりすぎてあえなく御用。

べつに明るくないか。しかし、この裁判はキビシさのなかにも救いがあるのだ。何と

言っても、トッチャン坊やみたいな顔がいい。検察官が目をつりあがらせて質問しても
エヘラエヘラと柳に風だ。

「いやぁ、もう、反省してマス」

まったく反省してない表情で、ヌケヌケと頭を下げる。

「月商1300万円で利益が100万円というのは信用できない」

「いやぁ、もう、割に合わない商売なんで」

「しかし……」

「すんません」

ユルい雰囲気が必要以上に事件の小ささを感じさせる。聴いていても、こんなことのためにムキになっても仕方がない気持ちにさせられるのだ。

しかも、今日は年内最終日の朝。午後からは審理もほとんどない。傍聴席もガラガラだし、弁護士もヤル気なさそうにアクビをかみ殺したりしている。

でも、これはポーズにすぎない。ふとした瞬間に見せる被告のマジ顔には必死さがにじんでいるし、弁護士も裁判官の一挙一動に注意を払っているのだ。

もちろん目標は執行猶予だろうが、それはほぼ確実。では、それ以上に何を望むのだ。

ここで証人が登場。内縁の妻が、わざわざ子供を連れて証言台に立った。どう考えても子供が出てくる必然性はない。同情を買う作戦にしか思えない。でも、同情の先には

何があるんだろう。見ていて不思議だ。

女のパフォーマンスは見事だった。はきはきと質問に答えてしっかり者を印象づけ、必要なところでは「彼と一緒に生きていきたい」と、尋ねられないことまでアピール。合間にはむずがる子供をあやす動きも加える。

とっくに組は抜けて現在はカタギ。借金返済と女房子供の生活のためやむなく罪を犯した。妻は事情を知らず、事件を悲しみ、夫を更生させると誓っている。しかも美人で若い。子供もあどけなくてかわいい。

検察側もそれ以上は突っ込みようがなく、懲役2年6カ月を求刑して審理は終了した。その直後である。てっきり次回判決の日程を告げるとばかり思っていた裁判長が「休憩後、ただちに判決を言い渡します」と言うではないか。

どうせ執行猶予をつけるのなら、身元も確かであるし、家族そろって正月を迎えさせてやろう。粋なはからいである。

なるほど、狙いはそこだったか。いやぁ、読めなかった。どうせ裁判やるなら、それくらい抜け目なくちゃいけないんだ。勉強になるなあ。

予想どおり執行猶予5年でケリがついた後、喫煙所にいたら、親子3人が弁護士と連れ立ってやってきた。

「吸う?」

妻が草履《ぞうり》にトレーナー姿の夫にマルボロを差し出し、深〜い一服。何日ぶりなのだろう。うまそうだ。

「ま、証言なんてあんなもんよね」

「どうってことねーよ、楽勝」

さっきまでとは打って変わっての普段着会話に好感が持てるね。しかも安堵感からか、口が軽い軽い。

「どうすんのよ店」

「そのうちな。また何か考えるべ」

弁護士も一見落着したら金をもらうだけだからか、涼しい顔で子供の相手をしている。

「どうする、今夜」

「そりゃおめー、どっか行こうよ、どっか」

「イヤらしい、何よその目は」

「ゴムなしか、ははは」

執行猶予記念にキツ〜い一発の誓い。いいねえ最高だ。ぼくも、最後に気分のいい裁判が見られてスッキリしたよ。

「メモはやめなさい！」

ここでやめときゃよかったのである。ところで新年早々はどうなんだ、などと考えなければ、不愉快な目に遭うこともなかったのだ。

正月明けの裁判所はふぬけ状態。審理そのものがほとんど行われない。今年は6日が初日で休養十分のはずなのに、この日の公判はたったの2件。いずれも民事で刑事裁判はゼロ。これだから役所仕事は、といいたくなるほどの体たらくである。

2日目の7日も毛が生えた程度。でも、連続Uターンはつまらないと、運試しのつもりで傍聴してみた離婚裁判。これが超ヘビーだった。

60代の夫婦による、こじれにこじれた熟年離婚である。離婚するしないではない。離婚は両者ともしたい。不倫なども絡むが、ネックは金。原告の妻が、夫に自分の貸した2千数百万円を返せと迫っているのである。

そんなことさせるものかと夫は防御を固める。妻はヒステリー気質なのか、身振り手振りも激しく、夫をののしりまくる。

現金はない。このふたり、バブルに踊った典型的なバカ夫婦。夫は会社員だったが、家を買っては転売する手法で資産を殖やそうとし、途中まではうまくいっていた。が、バブル崩壊で歯車が狂い、いまじゃ3軒の家持ちだが借金まみれ状態だ。

金を払うには家をたたき売るしかないが、最高にうまく売りさばいても、相場が下がっているから借金を返済することさえ困難な状況。つまり、ありもしない金を「よこせ」「渡さない」と争っているのである。

ないものはないのだが、負けたらいよいよ大変。老後の生活をかけた必死の攻防は、一歩も引かない全面戦争だ。

人相の崩れてしまった鬼のような老夫婦がどんな正月を過ごしたのか、想像するだけでもゾッとする。裁判にもいろいろあるが、こんなに醜い争いを見たのは初めてかもしれない。

ミエミエのウソも交え、支離滅裂な証言が互いに続く。弁護士もお手上げなのか舌鋒鈍く、裁判官はあきれ顔。傍聴席もあっけにとられたまま。場内が憎悪にまみれたイヤ〜なオーラに包まれてゆくのを、誰も止めることができない。

だからだろう、ぼくに飛んできた火の粉も理不尽なものだった。妻の勢いにつられた原告側の女弁護士が、ぼくに向かってメモを取るなと言うのである。

そりゃ、プライベートな民事裁判でメモを取られるのは不快かもしれないが、これは傍聴人に認められている行為のはず。これまでだって、そんな注意をされたことはない。ぼくは、フンガイして手を挙げ、裁判長に発言した。

「傍聴人がメモを取ってはならないのですか？」

裁判長がたしなめてくれると信じて疑わなかった。ところが、そうではなかった。裁判長はごまかすような笑いを浮かべ、頭を下げながらいったのだ。

「えぇまあ……すみません」

終了後、抗議しようと弁護士に近寄ったら、彼女は逃げるように去っていった。

ちなみに、調べたかぎりでは、メモ禁止ルールは存在しないようだ。まったくなあ。新春からこれじゃ、今年も先が思いやられるよ。

★傍聴席では撮影や録音は禁じられているが、メモを取ることは許されている。その後もメモを取りまくっているわけだが、もちろん注意されたことは一度もない。

似てない法廷イラストのこと

法廷では写真も撮れないので、ビジュアルで何かを伝えようとすればイラストしかない。それで、第1回目から法廷イラストを描くことになった。

当初は、ぼくのつたない絵をプロに清書してもらう腹だったのだが、やはりそのまま使うことにした。ヘタなイラストでも、活字だけでは表現しきれないその場の臨場感は伝わるのでは、と思ったのだ。

それにしても似ていない。似せようとすると何度も描き直すハメになり、その間にも裁判が進行してしまうので、ますます被告とはかけ離れた像になる。

絵がうまく描けないので字も加えるようになり、ぼくのイラストは被告の心情などを勝手に盛り込んだ、わけのわからないスタイルへと変貌してしまった。

では、新聞などに載っている法廷イラストは誰が描いているのか。あれはプロの絵描きがやっているのだ。

大事件になると、彼らは報道席や、スタッフが確保した傍聴席にどっかり座り、おもむろにスケッチブックを広げてスタンバイ。被告が登場すると、わき目もふらずに作業を開始する。間近で観察したのはオウム・麻原被告の裁判時。3人の絵描きが縦一列に並んで、ものすごいスピードでデッサンを行っていた。

うまい。彼らの斜め後ろの席から見ていたのだが、それぞれ異なる画風ながら、的確に特徴を捉えてゆく。つまらない似顔絵風の絵もあったが、げっそり老け込んだ被告の異常な雰囲気を見事にキャッチしたものもある。これぞ職人芸だ。

未熟者としては、イラストを描く心構えをぜひ教えてもらいたい。で、裁判が終わるのを待って声をかけようと思ったのだが甘かった。法廷内でデッサンを終えた彼らは、それに色を付けて完成しなければならないのだ。夕刊に載せるために一刻

を争っている彼らは、法廷を出ると記者に追われるようにダッシュで移動していった。おそらく、いまの裁判で何が話し合われたのかさえ聴いちゃいないだろう。

技術はともかく、被告の特徴を頭に刻み込むためにも、イラストを描くのはぼくにとって欠かせないことである。が、メモを取る合間に必死になって絵を描いている傍聴人など皆無。それだけ目立ってしまうわけで、混んでいるときなどやりにくくてしょうがない。

懸命に描いているだけなのだが、どうもぼくの絵はふざけているように見えるようなのだ。必ずけげんな顔をされるのである。

被告の身内らしき人にノートをのぞき込まれ、不快な気分にさせてしまうのではないか。ヤクザな方々にあとでインネンつけられるのではないか。そんなことを気にしながら、それでも描くことはやめられず、ぼくは今日も何食わぬ顔をしつつ、激しく水性ペンを動かしている。

第19幕　裏口入学詐欺事件

カモはいくらでもいる

今回はちょっとメジャーな裁判だ。家庭教師派遣業者と塾経営者が共謀して受験生の親に裏口入学を持ちかけ、数年間でトータル100組以上、33億円を超す斡旋料をダマし取った事件である。

中心人物は家庭教師派遣業の経営者だ。かなり前からコツコツと客をダマしていたようだが、「カモはいくらでもいる」ってことで相棒を探したところから商売大繁盛のレールに乗る。

相棒は塾経営者。こいつのメリットは、客を紹介したら（裏口斡旋できる学校が微妙に違っていた）紹介料をもらう契約その他もろもろ。後に家庭教師を介さず、独自でも斡旋し出すのだが、要は裏口入学は口コミの世界だから、組めるところは組んで、ギョーカイの大手になろうよってことだ。結局、捕まったけど。

この裁判が、佳境を迎えている。まぁ、狙ったのではなく偶然。午後から出かけて最初に覗いた公判が、裏口入学詐欺だったのだ。この手の事件は、暴力団だの悪徳探偵だのが絡んで大学教授の弱みを握り、試験問題を漏洩させたりするイメージがあったのだが、被告席にいるふたりはいかにもカタギ。どっちかというとインテリ風の面構えだ。

おもしろそうである。しかも初モノのジャンル。う〜ん、ナイス。こういうことがあるから傍聴はやめられない。釣りに行って、小手試しのつもりの第一投でいきなりタイがかかったみたいなもんかね。例えがヘンか。でも、とにかく期待十分だ。

ツキに逆らわないのが傍聴の鉄則なので、後の予定はすべてキャンセルし、傍聴席に深く腰を下ろした。入りはパラパラ。マニアの姿もジャーナリストらしき姿もなく、ぼく以外には学生風の男が数人とカップルがいるくらいだ。被害者っぽい人間も見あたらない。

で、検察による被告人質問に耳を傾け始めたわけだが、まず驚いたのが斡旋謝礼金の巨額さ。詐欺グループの主要品目は慶応大学関係と医大関係。これらは裏口入学の最高ランクらしく「最低でも3千万」とか「口ききだけで5千万」なんていう数字がポンポン出てくるのだ。

最もあきれたのが慶応幼稚舎への裏口入学である。大学までエレベータ式に上がれる可能性大で、世間体も申し分ないとはいえ小学校だよ。それが7千万なんだと。どうよ、この相場。要求するほうも出す親も、狂っているとしか思えない金銭感覚だ。

証言によれば、有名どころではタレントのマ○アンの子供が裏口志願したらしい（不合格）。あと福永○源からも依頼があったとか（不合格）。

事件は慶応系中学の入試に落ちた子の親が怒り狂い、訴えたことで表面化したのだが、新聞記事を抜粋すると親の言い分はこうなる。

『連日、遅くまで机に向かう子供の願いをかなえてやりたい一心でやった。友だちや設備など最高の環境で青春を過ごさせてあげたいと思ったが、入試の結果で目が覚めました』

落ちたからダマされたと頭にきた。金が惜しくなった。このバカ親、合格していたら絶対に訴えなかったくせに。

世間にはこんなバカがけっこういるらしい。そこに、人間の欲望をうまく刺激して金を取る、詐欺師が暗躍するチャンスが生まれる。

詐欺は悪いことに違いないが、被害者がこれじゃ同情する気にもならない。むしろ、欲の皮の突っ張った連中から金を引きずり出すテクニックに尊敬の念を抱くほどだ。

このあたりから検察の質問が具体的になってきた。被告の2人はいつ、どのように知り合ったのか。客はどうやって見つけたのか。ぼくが知りたいことを的確に質問してくれるので助かる。

ただ、もうひとつ鋭さがないんだなあ。主要なところはすでに1回目の公判で話したのだろう。客との細かいやりとりなどは省略されるのが残念だ。
人間の心理のスキを突く駆け引きの妙を、もっと聴かせてくれ。

詐欺師が詐欺られてどうする

全員が合格できるわけではないのに、何年間も訴えられることなくいられたのはなぜか。「いっさい恨みません」と念書でも書かせたのか、暴力で押さえつけたのか。このあたりもよくわからずストレスが溜まる。

そのため推測が混じるが、どうやら家庭教師斡旋業者はコネを使った加点(試験の点数に上乗せする)を武器にしていたようで、うまくいかないときには「それでも足りなかった」と巧みな話術で親を納得させていたらしい。

一方、証言によると、塾経営者は必殺の手段を使ったという。

「不合格のときは基本的に預かった金を全額お返しするようにしていました」

うわ、裏口なのに誠実とは、逆転の発想。信用第一という商売の基本を外さず、告発を未然に防ぐ鉄壁の防御策だ。証言する姿も打ちひしがれた雰囲気を醸し出していて、こいつ良心的じゃないかと思いかけたもんなあ。

でも実態は違う。最初は約束どおり返金していたのに、そのうち金がまわらなくなり、結局訴えられるハメに陥った。

しかし、なぜ塾経営者は、不合格なら返金するなどと大風呂敷を広げたのか。事が発覚しないための、口からデマカセか。いや、そうじゃない。男には、客の子息を合格させる《切り札》があった。だからこそ、家庭教師派遣業者も、彼をビジネスパートナーに選んだのだ。

それが《国会三田会》なる政治家団体だ。国会議員の慶応学閥で、300点満点で120点の加点も朝飯前の強力な権力集団の存在。塾経営者は、この組織との太いパイプが自慢だった。

なにしろ、この三田会は金さえ積めば《お札》と呼ばれる合格確約書を発行してくれるのだ。仮に《お札》代が3千万だとしたら、5千万で裏口入学を請け負えば、2千万の儲けになる。仮に失敗しても、三田会より金を返却してもらえる約束を取りつけていたので、まったくリスクはないはずだった。

ところが、塾経営者は苦しそうな顔で言うのだ。

「国会三田会とのパイプ役を務める男にダマされまして。そんな団体は最初から存在しなかったんです」

なんと、この男もまたダマされていたのだ。詐欺師が詐欺られてどうする。

いずれにしろ、架空の団体が発行する《お札》に効力などあるはずもなく、不合格の連発。人をダマすのは得意でも、自分がダマされることには気がつかず、数回に一度の割合で「三田会が金を返してくれない」って言葉を信用してしまう。

一方、落ちた親からは金の返却を迫られる。で、仕方なくヤバい金に手を出す。放漫経営もあって運転資金が苦しくなる。が、そんなことは露ほども知らぬ家庭教師派遣業者は、彼にどんどん客を紹介してくる。何とか信用を失いたくない……。

塾経営者は最後まで《国会三田会》の存在を信じていた。それが証拠にコイツ、自分のセガレの入試斡旋のため金さえ払っているのだ。

しかも金がないから、他の依頼人との抱き合わせで4千万払い、《お札》は無理でも口利きだけヨロシクと脳天気にお願いするマヌケさ（両者とも不合格）。もはや底抜けのバカとしか言いようがない。

さらには、苦し紛れに自分で国会三田会の《お札》を発行してしまうから救いようがない。めちゃくちゃだ。受かるはずがない。そんでもってとうとう逮捕だもんなあ。

塾経営者は泣き出しそうな顔で証言し続けた。財産はすべてパー。家も土地もすべて手放し、返金に充てると誓った。

印象的だったのは、すぐ脇にいる家庭教師派遣業者だ。たまらん気持ちだろう。無表情のまま、突き刺すような視線を塾経営者に向けている。

この男はソツなく稼いでいたのだから優秀な詐欺師なのだ。誘った相手がノータリンだったため、イモづる式にお縄頂戴である。塾経営者のあがきに気がつかなかったのは

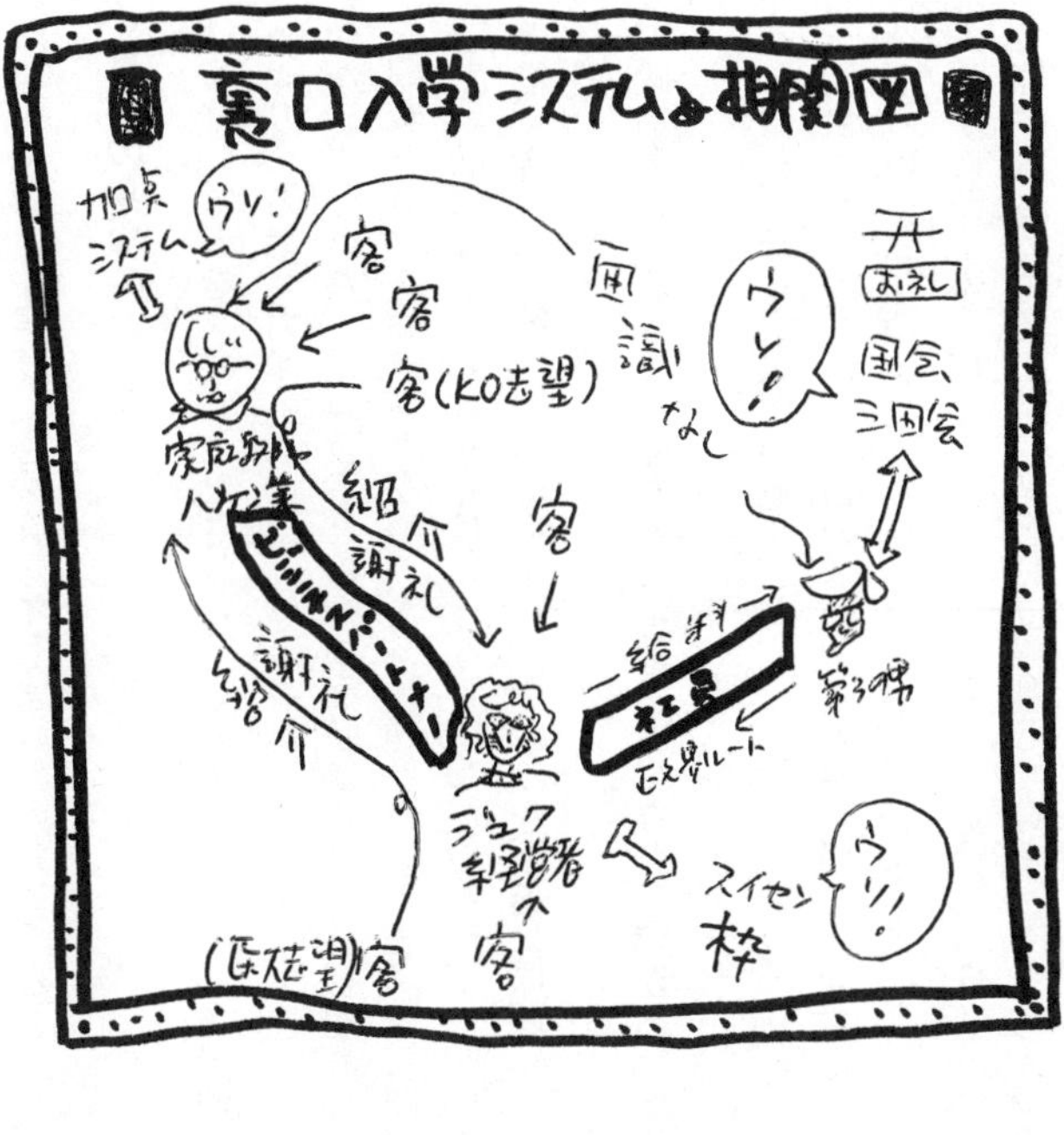
裏口入学システムの相関図
加点システム
ウソ!
客
客
客(KO志望)
面識なし
ウソ!
お礼
国会、三田会
家庭教師
紹介
謝礼
ビジネスパートナー
客
謝礼
紹介
給料
第3の男
正式ルート
ジュク経営者
客
スイセン枠
ウソ!!
(医大志望)客

痛恨のミス。やはり一見誠実な態度に心を許してしまったんだろうな。

第3の男はなぜ自由の身なのか

次回の公判では、塾経営者をダマしたとされる第3の男が証人として出頭した。これで事実関係がスッキリするはずだ。

一筋縄ではいかない男だった。塾経営者との初対面時から学歴・経歴詐称。早大卒で元読売新聞政治部記者とウソをつきハクをつけた（実際は明大卒、元読売新聞内勤）。

これでまんまと塾講師になり、しばらくはおとなしくしていたが、やがて裏口入学の件を嗅ぎつけると欲望爆発。政治家との細い細いつながりを百倍に吹聴し、チャンスを窺うようになった。

男の欲望とは、政治家になること。もちろん「政治家になれば儲かる」と思ったからである。

「選挙に出たい。そのためには資金がいる」

そこで《国会三田会》をでっちあげ、自分はそっちの事務局に出向すると言いくるめ、何もせずに給料をもらい、《お札》を自作して謝礼をネコババする。

稼いだ金はなんやかんやで本人曰く1億4千万ほど。このうち4千万を本当に選挙につぎこみ、実績も知名度もゼロで山梨県議会に立候補している。もちろん落選だ。

「それはまぁ落ちます。1度目は顔見せですから。2度目で当選を狙っておりました。自宅に8千万隠していたのは、つぎの選挙資金にするためです」

こういう証言を聞いていると、政治の世界の裏側が実感できるね。こんな男でも、金さえ続けばいつかは当選して、今度は利権漁りに東奔西走するのだろう。

証言内容は、前回の塾経営者と食い違う点が多い。塾経営者は第3の男にハメられたことを強調したが、第3の男の言い分では塾経営者こそ悪徳詐欺師そのものになってしまう。

この頃になると、さすがの塾経営者も裏切りに気がつき、8千万を強引に取り返し、第3の男を京王プラザホテルに監禁。親類縁者を呼び、残りを返済する旨を書いた誓約書に無理矢理サインさせたそうだ。その場には取り立て屋のような人物も同席したという。

「もう、恐ろしくて……」

全然同情できないよ。つーか、証言が真実だとしても悪党同士。詐欺られた相手に紳士的態度など取る必要ないだろう。

証人なのだからこっちを信用すべきなのかもしれないが、言うことが矛盾だらけ。明らかに詐欺の一端を担っているのに自由の身なのもおかしい。事情聴取時に取引でもしたのかと勘ぐりたくなる。

はぁ〜、気持ちがしぼむね。

一見、華麗に見えた裏口入学事件だが、目クソ鼻クソの詐欺師3人、いったい誰の言うことが信用できるのか。

この日も新聞記者など誰もいなかったが、判決の日には新聞の片隅に載るかもしれない。それを読む人は、ぼくのように「派手な事件だ」と思ってしまうのだろうが、まったくそんなことはない。これはクズが企み、クズが乗っかり、不毛な金が動いて消えたしょうもない事件だと断言したい。

それにしても、こんなボンクラな連中が33億も稼げるなんて、日本って国はつくづく甘っちょろいよなあ……。

★傍聴したときには証言を聞くことができなかった家庭教師斡旋業者についても少しフォローしておこう。この男、私学受験会という進学相談機関を設立し、0歳児から登録できると宣伝。《会員特典として有名私立への各種推薦制度・優遇制度がある》ことをウリに、《有名私立志望で、学力に不安のある方、ある特定の学校以外に選択肢のない方》を積極的に勧誘していた。

同会ホームページでは、入会すれば受験の裏技を駆使していいことがありそうなムードを匂わせ、信憑性を持たせるためか、プロフィール欄にはこれでもかというくらいの肩書きが。『日本国際青年文化協会、日本ロシア文化協会、昭和史学会の理事。日本ニュージーランド文化交流協会、日中経済文化発展基金会評議員。日本ペンクラブ、日本ジャーナリスト会議、日本文芸振興協会、国策研究会、日本評論家協会、三田哲学会の会員をつとめ、教育評論家、教育エッセイスト』（同会ホームページによる）でもあるとアピールしていた。肩書き好きな日本人の心理を突いて、まっとうな人物を演じていたのだろう。欲を出して塾経営者とタッグを組んだりせず、架空の加点システムでガマンしておけば、まだ当分は捕まることもなかったのかもしれない。

第20幕　母が娘を、妻が夫を葬り去った理由

中学生の娘の遺体を冷蔵庫に

　受付で裁判の予定表を見ると、被告が女性名の殺人事件があった。個人的犯罪の横綱である殺人は、全体から見れば少数派。なかでも女性の手によるものは微々たる確率でしかない。

　それが今日はどうだ。午後から地裁で1件、高裁で2件の女性による殺人事件が扱われるではないか。こんな日は滅多にない。殺しがオレを呼んでいる状態だ。

　しかも、出陣に備えてロビーで一服していると傍聴マニアのダンディ氏が現れ「その事件だったら資料ありますよ」と、午後イチに地裁で行われる事件について書かれた『週刊新潮』の記事コピーを手渡される段取りの良さだ。

　なぜ出てくるかすぐに。何でもないことのようにコピーをくれる氏の底力に舌を巻きながら、急ぎ足で415号法廷に向かったのだった。

　今日は判決の日。開廷前から列ができているのは注目度が高い証拠だ。テレビの撮影

も入るってことは、かなり刺激的な事件なのかもしれない。

コピーを見る。やはりそうだ。子殺し。母親（49歳）が中学生（14歳）の娘を絞殺している。家庭内暴力を振るい非行にひた走る四女に手を焼き、寝ている娘の足をひもで縛って固定。気がついて暴れるところを押さえつけて無我夢中で首を絞めた……。

相当インパクトのある内容だが、この事件には後がある。娘の死を確認した母親は、死体を自宅に隠したのだ。

押入や冷蔵庫に2週間。夫とは別居、長女は家を出ているが、ふたりの娘（いずれも会社員）が同居しているにもかかわらずである。娘たちは異臭を指摘はしたが、四女が帰宅しないことについては何も言わなかったらしい。

四女は夫の家と母親の家を行ったりきたりしていたので、しばらく現れない程度の認識だったのか。結局、訪れた夫が異常に気づき、やっと自首することになったという。

おいおい、これじゃ猟奇事件だよ。

顔を合わせていたのなら、娘たちが母親の異変に気がつかなかったってことはないだろう。遊び暮らす妹のことにも、姉たちは無関心だったのではないだろうか。家庭内の殺伐とした人間関係がヒシヒシ伝わってくるようだ。

というわけで、犯人のイメージは鬼の形相をした中年女だったのだが、被告人席に座ったのは痩せて気の弱そうな女性だった。化粧をしていないことや地味な服装を割り引いても、凶悪な雰囲気はまったくない。一見、どこにでもいるお母さんである。

それが、我が子を素手で絞め殺すんだもんなあ。よほどのことでなきゃできないよ。


じゃあ、よほどのことって何だって話になるわけだけど、これがどうにも頭が痛い。四女は中学でイジメにあい、夫の元に住所を移して転校した先でも再びイジメられたことで不登校に。同時に夜遊びを始め、朝帰りを頻発。注意したって聞く耳持たず、母親に殴る蹴るを繰り返していたという。

大変だとは思う。でも、子供のいないぼくが偉そうには言えないが、これがよほどのことなら日本中血の雨でしょう。

思い詰めた挙げ句の作戦も、ひとりよがりだ。「ゆっくり話をするため」足を縛ったというのが被告の言い分なのだが、縛られて話を聞く娘なら日頃から暴力ふるわないって。

「ほどけよババァ！」

「お母さんの言うことも聞いてちょうだい」

「うるせえ」

「したくてしてるわけじゃないのよ。お母さんは、あなたと話がしたいだけなの」

そして2時間後、母と子は泣きながら抱き合うのであった、なんてな。

テレビなんかじゃありがちなシーンだけど、現実は違う。大暴れするに決まってるじゃないか。作戦失敗。取り返しのつかないミス。当然予想される娘の復讐と親子の決定的な溝。これで激情スイッチが点火してしまった被告は馬乗りになり、両手で首をグイッ。

さらに保身のため、とりあえず姿が見えなければとの短絡的な判断で死体を隠蔽《いんぺい》。異臭が漂い始めてからは冷蔵庫に移してガムテープで封をし、ダンボールで塞ぐ行き当たりばったり的な隠し方をしている。

計画性なし。あるのは激情と反動。マジメな人間の中に潜む狂気が全開になったときが、いちばん恐ろしいと思った。その迫力たるや《キレる娘》どころじゃないよ。

気を惹くとか甘えるとか意志を示すなんていう中間的なものはない。自分がどうなろうとかまわない強さだ。後先考えず殺すんだからな。

想像にすぎないが、この母親は話のわかる親、優れた環境、暖かい家庭を目指していたんだろう。マジメに、誠意を持って接すれば心を開いてくれると信じ、演じていたかもしれない。娘がなぜ反発するのか、本当のところは最後までわからなかったのではないか。

刑務所で、ずっとそれを考えるんだろうなあ、この人は。

判決は求刑13年に対し、8年。5年も軽くなったのは、かなり情状の余地ありと裁判官が判断した結果だ。再犯の恐れもないし、母親の苦悩も考慮に入れたいい判決だろうが、出所してもツライ気持ちで生涯を過ごすことになるんだろうな。

減刑してやれよ裁判長

ブルーな気分で次なる法廷へ行くと、被告人席にやってきたのは車椅子のばあさんだった。大正10年生まれの82歳。殺人からもっとも遠い場所にいるような人である。いったい誰を、何のためにどんな

手段で。知りたいことはいろいろあるが、地裁で審理をした後の高裁なので詳しい説明がない。

ではどうして高裁で争うのか。どうやら、懲役3年の判決に不服な弁護士の勧めで控訴したかららしい。いくら高齢で懲役10年なんてことになったら実質終身刑に等しいとはいえ、殺人罪で3年とは異例の軽さ。判決に事情ありの裁判だ。ますます詳細が気になる。

ジリジリしつつ待っていると、裁判長から判決についてどう思うかとの質問に被告が発言した。

「我が子を、息子を殺したんだから、当たり前だと思いました」

う、またしても子殺しだ。

でも、それ以上の具体的な話はない。ばあさんも正直なのはいいけど、控訴までしたんだから当たり前なんて言うなよな。弁護士もしっかりしてほしい。健康状態を考慮して情状を求めるだけじゃ争いにならんだろう。それとも弁護料をもう少しいただこうって魂胆で入れ知恵したか。畳で死ねるよって。

「かわいそうなことしちゃったと思います。思い出すと……（涙）」

ばあさんは蚊の鳴くような声で後悔しきり。殺人方法についてはわからないままだったが、推定50代の息子を殺す理由は、刑の軽さを考えたらいくつかしかない。

病気で苦しむ息子を見ていられず、ラクにしてあげたいとか、そういうことだ。よかれと思って、あるいは他にどうしようもなくなってという線。

詳細は、次週に行われた判決時にわかった。ばあさんは統合失調症の息子を苦に心中を図っていた。自分の老い先は短い。セガレのことで世間に迷惑はかけられない。それならいっそのこと、自分が……。方法は寝ているところを刺殺。自分も睡眠薬自殺しようとしたが助かってしまったのである。

裁判は懲役3年で確定したが、判決後、傍聴席にいた長男が「なんとかなりませんか、裁判長さん」と絞り出すような声で叫んだのが同情を誘った。3年とはいえ、ばあさんにとっては生きて出られるかどうか、ビミョウな長さなのだ。切ないよなあ。

3発目は被告が2名（夫婦）なのだが、法廷にきたのは80歳の妻のみ。これまた大正生まれだ。夫は腰が悪くて病院で待機しているとのことである。

そして、殺したのはやはり息子。理由はタチの悪いアルコール中毒だった。何度も治そうとしたが、病院から出るとすぐ酒を飲み、酔うと何をしでかすかわからない。親への暴力や物干しを投げて壊したりは日常茶飯で、コタツ布団に火をつけようとしたり、鍋に天ぷら油を入れてガスコンロの火をつけっぱなしにしたり、生きた心地のしない日々だったとばあさんは言う。

事件当日も数々の暴言を吐き散らし、バイクのタンクの蓋を開けて火をつけようとしたのをとがめると「ぶっ殺す」と向かってきた。そのとき、母の腹は決まる。耐えに耐えてきたからこそ瞬時に決断ができ、攻めに転じられたのだ。

中途半端な年齢なら「まさかぶっ殺されることはないだろう」とジャッジが甘くなりそうなものだが、二度の大戦をくぐり抜けてきた年代は「人間やるときはやる」ということを知っている。

「我が子だから治してやりたいとずっと思ってましたけど」

荒れるアル中息子から身を守るための最終手段としての殺人。こんなのばっか。もう胸が苦しいよ。

どうやったかは想像がつくだろう。絞殺ですがな。駆けつけた夫とともに、自宅の庭で首をロープで絞めたのである。

正当防衛を主張しているのかと思ったが、求めているのは刑の短縮のようだ。だったら縮めてやれよ裁判長。

借金バレが嫌だから夫の首を

数日後。4発目の女性による殺人事件。罪状は夫殺しであります。方法？　絞めてます。ネクタイで一気にケリつけてます。はぁ〜、これも聞いててツライよ。

華奢《きゃしゃ》で小柄、中島みゆきに少し似た52歳。もちろんマジメな性格で、数年前までの人生は、ゼロから叩き上げた小さなサクセスストーリーでもあった。

中卒で社会に出て、キャバレー勤めなどカラダを張ってがんばった10代。上京してからもコツコツ働き、ついに焼き肉屋を開業するまでになる。

惚れた相手はバツイチだったが気にせず結婚、子宝にも恵まれる。夫婦と長男で切り盛りする焼き肉屋。小さいながらも幸せな生活をつかんだかに見えた。

いや、つかんでいた。夫が糖尿病を患い店に出られなくなるアクシデントはあったが、たゆまぬ努力の人である。問題はなかった。

だが、1999年を境に彼女の人生は暗転する。O《オー》157騒ぎで客が減ってきたのだ。

ここが踏ん張りどころとますます努力するも、そこに狂牛病騒ぎが勃発。客足は激減する。

店があるのは焼き肉屋激戦区のひとつ目黒。各店、生き残りをかけた戦いが始まり、勝ち目のないところは早々に店を畳んだりもした。しかし彼女はそんなこと考えもしなかった。努力すれば何とかなる。迷いはなかった。

借金がかさみ始める。家賃の滞納が重なる。自転車操業で金がまわっているうちは希望があったが、限界を超えたらあとは下るのみ。昨年末には借金が2千万に達していた。

一家で夜逃げは非現実的だとしても、自己破産という手はあったと思う。息子もいるのだし、店がつぶれても人生おしまいではないだろう。取り返しはつく。チャランポラン男としては、そう思う。

マジメな女は別のことを考えた。夫婦心中である。店がピンチであることを夫や息子は知らない。幸せを守るため、借金のことを隠してきたのだ。

真実を知れば夫や息子はショックだろう。バレるのは困る。将来がある息子はともかく、自分と夫は死のう。夫を殺し、それから自殺しよう。

決心を固めさせたのは、クリスマスまでと定められた家賃支払期限。払えなければすべて終わり。26日にはバレる。だから殺すのは25日しかない。

なんでそうなるかなあ、とはもう言わない。なるのだ、ある種の女は。男だってなるかもしれないけれど、心中ではなく自殺を選ぶほうが多いのではないだろうか。

「一緒に死んでちょうだい！」

犯行は、椅子に座ってテレビを見ていた夫の背後から行われた。いくら糖尿病でも抵抗力ある壮年の男を一気に。文字どおり死にものぐるいのパワー。気の毒な夫は、なぜ絞められるのかさっぱりわからないままあの世に旅立ったことになる。「ちゃんと説明しろ」と言いたかったと思う。説明したら、たぶん女は殺人などせずに済んだはずだ。

なぜなら、殺した途端に気が抜けて自分が死ぬのは中止、帰宅した長男にすべて話し、自首したからだ。ただただ、知られるのがイヤで殺したというわけだ。

店はつぶれ、夫は死に、自分は殺人罪で10年程度は食らいこむ。しかも借金はまるまるそのまま残る。こんな虚しい殺しもないと思う。

子供を、夫を、自らの手でかけがえのないものを葬り去る女たち。今月は傍聴してい
て怖かった。マジメさによって積もり積もったストレスが表面化すると極端なことにな
るのだ。

家に帰ると同居人がだらしなく酔っぱらっていたけど気にならなかった。殺されるよ
りはずっといい。

★被告人が女性の場合、検察官も女性である場合が多い。傍聴席から見ると、検察官が強い女であり、被告人が弱い女という図式。同性のほうが事情が理解しやすい面があるのだろうが、逆に同性だからキビシいと感じることもよくある。このときの娘殺し、夫殺しがまさにそうで、検察官が「私だったらこんなバカな殺人事件など絶対に犯さない」と、被告人を見下しているように見えてしょうがなかった。

第21幕　裁判所の気になる人物図鑑

変哲もないスウェットが多くを物語る

張り切って地裁に行ったはいいが、まったく裁判が行われていない。いったいどうしたことかと悩んでいたら、受付の係員が教えてくれた。

4月は人事異動の季節。裁判所も例外ではなく、新しいチームで研修でもしているのか、公判数が激減するのだ。

事件が山積みでも、役所仕事ってのはこういうこと平気でするからね。早起きして駆けつけてるっていうのに、勘弁してほしいよなあ。

いや、思い出してみると昨年もそうだったわけで、うっかり忘れているこっちもうかつだ。喫煙所に行っても傍聴マニアたちの姿はない。きっちり休養中ってことか。4月上旬がこうなることは裁判所の常識なんだろう。まだまだマニアの域には遠いなぁ。

そこで今回は趣向を変え、いつも不思議に思っていることを書いてみたい。

最初は公判の主役である被告のファッションである。意表をつかれっぱなしだもんなあ。それはどうかと思う格好で公判に臨む被告が多く、ぼくは本当に楽しみにしている。

被告ファッションの主流は圧倒的にスウェット上下。もちろんジーンズからスーツ、女性の場合はパンツやスカートもあるにはあるが、9割はスウェット姿（夏は上がTシャツ）で法廷に現れる。

拘置所から寝間着のまままきたみたいに見えるがそれはいい。不思議なのは、何の変哲もないスウェットが多くのことを語っているように感じられることだ。被告の置かれた経済状況から反省度合い、生き方のポリシーみたいなもんがスウェット一着に凝縮されている気がするのだ。

無銭飲食で捕まった男のスウェットはそれらしくくたびれているし、常習窃盗犯なんてもうカラダになじみまくり。ほつれ具合が生活の疲れを如実に語り、だぶつき加減の尻のあたりにも哀愁が漂っている。色も紺かグレーの無地で統一。黒が少ないのは縁起かつぎか。

チカンもたいてい地味だ。せいぜいモスグリーン止まり。事件はハレンチだが服装には節度がある。あと年寄りもおとなしい。いいね、わかってらっしゃる。事件の小ささとの釣り合いが絶妙で、派手な原色など見たこともない。

ぼくはこれ、事件の性格と無縁ではないと思う。常習窃盗犯は事情が異なるが、たいていは一般小市民が起こした事件なのだ。普段は目立たない生活をしているのに、ついやってしまった。あるいは生活苦からやむなく手を出してしまったと。

人によっては深く反省もしているわけで、執行猶予もほしい。そのためにも公判で派手な格好をし、裁判官や検察官を刺激するのは避けたいところなのだ。

ミッキーマウスが背中で笑ってる

ところが、この先はわけがわからなくなってくる。

覚醒剤やレイプなどで罪に問われる若い男はグッと派手で原色ウェアだったりするが、色の問題だけじゃない。事件に対する考えが、どうも不真面目な感じがするのである。

以前、事故で人をひき殺した男が裁判でドクロマーク入りトレーナーを着ていたのを報告したことがあったが、他にも首を傾げる例は多い。

たとえば相続争いで兄を殺した殺人事件。犯人は自ら手を下すのではなく、チンピラに殺人を依頼する。ギャラは800万。裁判は外国人ヒットマンに600万払って実行させ、200万を懐《ふところ》にしたチンピラのものだった。

坊主頭に細い目、堅太りの頑丈そうな肉体で迫力満点。実刑は免れないところだが、少しでも軽くしようと母が証言台に立つ。弁護士も熱弁を振るい、本人も反省の言葉を口にした。すまなかった、二度と悪いことはしない。暴力団との関係もいっさい絶ち、社会復帰したい……。

しかし、うなだれてみせた男のTシャツには真っ赤な文字がプリントされているのだ。

〈Love & Peace〉

何なんだこれは。ぼくは笑いをこらえるのに必死だったが、遺族はたまらんだろうと思う。

なぜ今日という日にこのTシャツを着たかね。気持ちがさっぱりわからん。母も泣きじゃくるほど心配なら、まともな服を差し入れしたらどうなんだ。

殺人罪で起訴されたヤクザ。かなり神妙な雰囲気で「すみませんでした」と裁判長に頭を下げる。だが、その背中でひょうきんなポーズを取っているのはシンプソン・ファミリーのキャラクター。途端に信憑性《しんぴょうせい》が疑われる。

キャラクター好きの被告は意外に多いみたいで、傷害致死で訴えられた男の白いスウェットの背中でミッキーマウスがポーズを決めているのを見たこともある。

男が証言台に立っている間、ミッキーの笑顔を見せつけられる身にもなってほしい。いくらやってないと言ったって、それだけで嘘っぽい。ぼくが裁判長ならミッキー分は刑期が延びるね。半年は追加したい。

しかし彼らは目立つことをやめようとはしない。ヤンキー風のアンチャンがスウェットの上からはおるジャンパーの背中にはぎらぎら光る昇り竜。金の刺繡入りスウェットなんかは定番と言ってもいいくらいだ。

彼らは独特のファッションで主張する。オレがグレーのスウェットだと？　ケチなてろてろのパンツだと？　ふざけるんじゃねえ。そんなのはオレじゃねえ。いつもの格好でなきゃウソだろうが！

たかがスウェットにもプライドがかかっている。だったら、新品無地の高級スウェットでいいじゃないかと思うのだが、そんな中途半端な格好をした被告は、シャブで捕まった白金暮らしのお嬢さん（ピンクの上下）しか見たことない。

やっぱり、誰が傍聴してるかわからないってのも関係あるのかもしれない。

「あんな地味なもん着て、あいつも終わりだな」

「ああ。生き様が感じられねえよ」

スウェットひとつで出所後の立場が変わったりするのかもしれんが、たぶん深い考えはないのだろう。彼らは周囲に配慮して服装を選んだりしないだけだ。

見事に貫かれるオレ流に触れるたびに戸惑うばかりのぼくは自分の平凡さを思う。なぜそのスウェットを、なんて不思議がっているうちはまだ小物だ。自分も彼らのようにどんなときでも自己主張できる人間になりたい、と。

ただし、塀の外で。

ただゴミを点検する《掃除の達人》クン

しかし、裁判所ほど出入りする人間にメリハリというか、面白みのある場所も少ないのではないか。

ここにくるのは弁護士、検察官、裁判所職員、事件関係者、傍聴マニア、見学者などで、世間で多数派を占める民間企業のサラリーマン比率が極度に低い感じがする。

仮にサラリーマンだとしても、裁判所にくるときだけは証人であったり、被害者の家族だったりするので、個人としての色が濃厚と言いますか、宮仕えの気配が消えてしまうみたいだ。

家族が有罪判決でも受けたのか、真っ暗な顔で立ち尽くすオヤジの横で、高笑いする弁護士バッジ。その隣には仏頂面のヤクザがいて、向こうではナイフのような目をした検察官グループがひそひそ話し合っている。

かと思えば配達途中の中年郵便局員が深々と一服。アジア系外国人は不安そうな表情でせわしなく携帯をかけまくってるし、傍聴マニアは輪になって情報交換に明け暮れている。こんな場所、他にはちょっとないと思うなあ。

若さでも見た目の元気さでも上位のはずの見学女子高生グループや大学生なんか、ここじゃ何のインパクトもないただのガキだ。重量感が違う。眉間に縦ジワの1本も刻み込んでから出直してこいと言いたい。

そんななか、どうして裁判所にいるのか理解に苦しむ謎の人たちもいる。傍聴男が言えた義理じゃないか。でも、みんなが明確な目的を持って行動するなかで、ひたすらウロウロしている彼らの動きは一服の清涼剤……ってことはないが、傍聴通いのマンネリ化を防いでくれる貴重な存在なのだ。

とりわけ印象的なのが、ときどき見かける《掃除の達人》クンである。巨体を持て余すように背中を丸めて裁判所内を歩きながら、ニコニコ顔でさりげなくゴミを点検しているのである。

ゴミを発見すると表情を曇らせて拾い、また歩く。まさかそんなことのために裁判所までくるかよ。そう思って1時間ほど尾行してみたんだが、ヤツがしたのは掃除だけ。たまに指さし点検とかしてたもん。負けるよ。

また、穏やかな表情がいいんだ。テンパってる人が多い裁判所では貴重な存在感。彼を見るたび、生きがいってのはどこに転がっているかわからないと思う。

でこぼこコンビも気になる存在だ。小さいほうは150センチもなく、もうひとりは175センチほど。発見したときは民事関係の裁判関係者だと思ったのだが、忘れた頃に姿を見かけるから、定期的にきているのかもしれない。

いい味出してるのは小さいほう。40代ぐらいなのだが、野球帽がイカスんだ。歩き方も早足でキビキビしてる。

まあ、ほとんど地下の売店でボールペン見たり週刊誌立ち読みしてるだけだけど、とても楽しそうなのである。

食堂で思い切って隣りに座ったら、ふたりで手帳を眺めながら午後の予定を相談していた。傍聴スケジュールじゃなくて週末のイベント話。それも聞いたことのないアイドルのキャンペーンみたいなのばっかり。裁判との結びつきはまったく不明。それどころか、どんな人生を送ってきたのか、仕事はしているのか、家族はいるのか、人物像が何ひとつ想像できない。

傍聴マニアにはまだ目的意識が感じられるが、《掃除の達人》クンや、でこぼこコンビは何かを突き抜けているのだ。ギャラリーを飽きさせることのない素晴らしい人たちである。

オトナの美女の宝庫

そして、最大の謎は裁判所に出入りする女たち。これがけっこういるのであるが、イメージとしてはどうだろう。ぼくは裁判所職員や検察官、弁護士なんて職業、いかにも堅物で色気のない女だらけって印象だった。

でも違うのだ。裁判所の女たちの美形度は一般レベルより数段高い。ダークスーツに身を固め、姿勢正しく自信にあふれた態度で闊歩《かっぽ》する美女がウヨウヨいる。天は人に二物を与えるのだ。

　絵はうまく描けないけど、とにかく多い。誰も信用してくれないけど本当だ。カワイイ娘は皆無だが、オトナの美女の宝庫。もう渋谷なんぞションベンくさい。行くなら裁判所である……誰とも知り合えないから眺めているだけだがナ。

　この美女軍団に水商売関係らしい一派、ヤンキーやヤクザ関係ではないかと思われる姐さんなどの派手な女たちが彩《いろど》りを添えるわけだ。

　そうそう、アジア系のおねえちゃんもいるからバラエティも豊か。全体的に若くて、おばちゃんは影が薄いのも特徴だ。

　でも主役は明らかに裁判ギョーカイの女たち。脇役の女たちとは一線を画す存在感がある。ルックスより能力で評価される世界だけに、美人であるだけでは話にならないのである。過剰なフェロモンは禁物。スキは見せられないキビシい社会なのだ。

大きな事件があると女性記者なども押し掛けるけど、佇まいに品がないっていうんですか、タバコ吸って大声で携帯かけて優雅さってもんがないのだ。もっとさりげなく、スリットの入ったスカートとか着こなしてもらいたいもんだ。

いや、傍聴していても、女裁判官や弁護士のレベルの高さには唸《うな》ってしまうわけでして。みんな賢そうで、知性っつうもんが感じられるのだ。日焼けなんか絶対してないし、薄化粧で髪型もセミロングとかロングを無造作に束ねただけ。ごまかしはきかないシチュエーションで発揮される美。これぞ本物だと思いませんか皆さん！

驚いたことに検察官まで美形がいる。もう、唇とか薄くて、ニコリともせず被告を追及。まさに研ぎ澄まされたナイフって感じよ。身なりは地味なのだが、白いブラウスなんかでボタン2つハズレてるだけでもドキドキだ。

弁護士は、オヤジ弁護士のアシスタントみたいな若手がいい。よくロビーで打ち合わせしているが、妙にスタイルがいいのだ。スポーツクラブとか通ってるのだろうか。気になって館内を尾行しても行動はおもしろくないが、コツコツとヒールの音を響かせるスーツ嬢の後を歩くのは悪くない気分だ。ストーカーかよ。

美女が多い理由は謎だが、裁判はステージみたいなもの。芸能人がキャリアとともに垢抜けていくように、日々傍聴人の目にさらされることで迫力ある美貌へと変身していくのではないかと思う。

ん、だったら学校の教師だってハイレベルでいいわけか。となると……うむ、わからん。

悩んでないでしっかり傍聴しろ！

★最近、《掃除の達人》クンも、でこぼこコンビもさっぱり顔を見せなくなり、ちょっと寂しい。飽きてしまったのだろうか。それとも仕事が忙しくなったのだろうか。

第22幕　簡易裁判の味わい

雨露をしのぎたくて他人の家で3カ月

東京地裁では同一の建物内で地方裁判、高等裁判のほか、簡易裁判の刑事事件も公判が行われている。すぐ裏に家庭裁判所と簡易裁判所が合体した建物があるのだが、刑事事件に関しては、地裁の建物で取り扱われるのだ。

簡易裁判は審理のスピードアップをはかるのが目的で、取り扱うのは小事件ばかりだから、これまで傍聴したことはなかったが、ぼくの師匠ダンディ氏はぜひ見に行くべきだと言う。

「裁判の基本が全部あるし、事件も比較的単純でわかりやすい。窃盗とかばかりだけど、一度は覗いてみないとねえ」

裁判の流れや弁護士や検察官、裁判官の位置も地裁と同じで、事件が身近な分だけリアルらしい。よし、今回は簡易裁判を集中的に見てみよう。

法廷に入ると、被告人席に年齢不詳の女が座っていた。容疑は窃盗。争う気配ゼロ。事件としてのおもしろみはなさそうだ。

なにしろ簡易裁判だもんなあ。人も死ななければ、背後に複雑な人間関係があるわけでもない。ダンディ氏はああ言ったが、コクのある事件に遭遇する可能性は低いのではないだろうか。

ところが違ったのですね。確かに事件としてはショボいけど、そのぶんB級テイストと言いますか、捨てがたい味があるのだ。

女が盗ったのはネックレスなど10万円相当の品なのだが、換金するでもなく、ただバッグに入れただけ。捕まったときには、盗ったことさえロクに覚えてないというモチベーションの低さである。

なんでそうなのか。女の目的は窃盗じゃなかったからだ。

工場勤務や旅館の仲居などの職を転々としたが長続きせず、数十万円を懐に上京したのが去年の夏。しかし上京初日、電話ボックスに金を置き忘れてしまう。

が、警察に届け出るでもなく、頼ろうとしていた友人に連絡するでもなく、そのままズルズルと路上生活者に。

「お金もないし、つい公園で寝泊まりするようになりました」

おいおい、ついやるようなことか。仕事を探せよ。じゃなかったら友人に助けを求めろよ。

なんて考えは常識人のもの。ややこしいことに巻き込まれるのが面倒で路上を選んでしまうのも、ある種の才能である。

その後の身の振り方についても、見事に後ろ向きだ。極度に内向的な性格である女は思った。自分ごときにいい仕事があるわけがない。唯一とも言える友人に迷惑をかけるわけにはいかない。季節もイイし、とりあえず公園で生きていくとしよう。

「公園には猫もいるし」

この落ち着きは何だ。ぼくだったら路上生活を3日もすれば焦りがピークに達するだろう。そりゃ結果は同じかもしれんが、探すよ仕事を。さもなくば役所かどこかに相談に行くな。

しかし女はピクリとも動かない。

「これじゃいけないと思いながら、気がついたら冬になっていました」

このままでは凍えて死んでしまう。ようやく女が危機感を覚えたのは12月に入った頃だった。

そんなある晩、降り出した雨を逃れようと、民家の軒先に避難して今夜の過ごし方を考えつつ玄関のノブをさわってみたらドアが開いた。なかに人の気配はない。

「ただ横になりたいと思ったんです」

本心だったのだろう。目についたネックレスをバッグには入れたが、他には手をつけてないのだから盗みはついでの犯行と思われる。

ひさしぶりの暖かい部屋は居心地最高。女は今夜の宿泊先をここに決定する。翌日も、その次の日も、家には誰も戻ってこなかったので、ずっと居続けた。電気・ガス・水道は極力使わず、ひっそり息を潜めて。

運のいいことに、この家は老女の一人暮らしで、ちょうどこの時期は入院中。女は老女の息子に発見されるまで、なんと3カ月も他人の家に住み続けたのだった。

今日は戻ってくるのではないかという不安と、もしかしたらずっと戻らないのかもという期待。いいねえ、毎日張りつめていたんだろうな。

まるでマンガのような展開と、図々しく居座りつつも「迷惑は最小限」を心がける女の気持ちがおかしくて、ぼくは笑いを噛み殺すのに懸命である。

しかし、裁判はまったく盛りあがらない。そこまでやるなら、なんでもっと積極的に金目のものを換金して出直し資金にしようと考えなかったのか、食事はどうしていたのかと、型どおりの追及に終始する。

さすがスピード重視の簡易裁判。被害者が家宅侵入では訴えなかったこともあって、ツッコミどころ満載のはずなのに検察官も裁判官も淡々としたものだ。どうせ執行猶予がつくだろうしナ。速攻で求刑1年半。

弁護士なら前歯ぐらい入れようよ

簡易裁判をいくつか傍聴して感じたのは、法廷にみなぎる、まったりした空気だ。《華》がまったくないのである。

その要因は事件のショボさだけではない。全体的にヤル気がないと言いますか、失礼ながら裁判官を始め検察、弁護士とも、二線級を揃えている感じがするのだ。裁判官は経験の浅い若手かロートル組って印象だし、他も同様。若手が出てきても張り切っている気配ゼロで、気迫が伝わらないのである。

事件の中身的にも、一発勝負をかけて名をあげるなんてことは望みようもなく、傍聴人もぼくだけ。これでは張り切れと言っても無理か。

そんな逆風のなか、個性を見せつけてくれたのが60歳は超えていると思われる白髪頭の女弁護士だった。

事件は窃盗。弁護すべき被告はデパートにベビーカーを持ち込み、片っ端から衣類を万引きして御用になった女である。夫と別居中の出来事とはいえ同情の余地なし。窃盗の前科もあり「フリマで服を売りさばこうと思った」という動機からも計画性のある犯罪だ。幼児を抱えていることを考慮して、量刑は1年、執行猶予3年ってとこだろう。

ところが検察の調書で、夫が被告のことを「浪費家」と発言したことで、女弁護士はヤル気になってしまった。シナリオは、生活費をたいして渡さず、ケンカになると暴力を振るう夫との生活で精神的に追い込まれていた妻が発作的に犯した犯行。なぜならベビーカーに衣類を放り込むなんていうのは確信犯としては稚拙すぎるから、というわけだ。

でもこれ、無理がある。被告は短期間のうちに同じデパートで2度捕まっているのだ（1度目は泣いて謝り、許してもらった）。万引き総額は約60万円分にもなる。

それでも女弁護士は一歩も引かない。証人として被告の父親を呼び、夫がいかに暴力的かをしつこく述べさせようとする。これがまた強引で、

「夫はしばしば暴力を振るったのですね」

「ケンカのとき手を出すんです。私は彼のことがとても好きなんです。普段はいい夫で……」

「黙りなさい！」

「酒も飲まないし、父親としても」

「黙れと言ってるんです!!　聞かれたことだけ答えればいいの。暴力を振るうことがありましたかって聞いてるんです！」

「は、はい」

証人を恫喝してどうするよ。離婚裁判じゃあるまいし、ぼくが考えても事件の本筋か

てほしい。

舌《ぜっ》が悪いので耳障り。速記人は顔をしかめている。裁判官もはっきり話すように注意し
ら遠く離れたこと。迫力不足は否めないし、大声を張りあげるばかりでめちゃくちゃ滑《かっ》

と、女弁護士の口元を見ていたぼくは、思わず声を出しそうになってしまった。
前歯がないのだ。下の3本が抜けているのである。

弁護士すべてが高給取りとは思わない。とくに簡裁にいるような弁護士は売れっ子ではないのだろうから、いい服を着ろとも言わない。だけどしゃべってナンボの商売、歯は絶対に必要。フガフガしたしゃべりの弁護士が言うことなど、説得力3割引である。

案の定、女弁護士がいくら叫んでも、被告人を叱りとばしながら反省を促しても、場内はシラケる一方だ。弁護人質問が終わるとすかさず求刑に移り、1年半。判決も同じ(執行猶予3年)。

人生をやり直すにはやっぱり土木です

簡裁には地裁にはない明るささえ漂う。イトーヨーカドーでサイフを盗んだ詐欺歴アリのオヤジは終始一貫して人生に対する前向きな姿勢を貫いてくれた。

6800円のサイフを盗み、同額のサイフを現金で買ってすぐ返品。レシートは返さずに、他地区の店で盗んだサイフをまた返品。手がこんでいる割に交通費まで使い6千

円ほど稼いだだけで逮捕された、マヌケなオヤジだ。

「暮れにリストラされちゃってね。耳が悪いもんで、どこも雇ってくれないから、小遣いほしさでやりました。仕事さえありゃあね、こんなことしません」

じゃあ、仕事がなかったらまたやるのか。検察官が尋ねる。

「それは……しません。しちゃイカンですよ。私もいい歳ですから恥ずかしい」

仕事がなかったらどうするのか。

「仕事はありますとも。いや耳がね、いい補聴器さえ手に入ればこんなもの、いくらでも稼げるんです。稼いで人生やり直すんです」

どんな仕事をするのか。

「人生やり直すには、やっぱり土木ですね！」

ずっと土木をやってきてリストラもされたが、それでも自分は土木を信じる。オヤジのトークは冴えていた。いや、オヤジを雇うところがあるとは考えにくく、きっとまたしょうもない犯罪を犯すのだ。その確率は90％はいく。

しかし、けっして凶悪な事件は起こしそうにない。だからここは深く追及せず、さっと審理を終わらせよう。関係者の思惑が一致して求刑2年。翌週には判決2年（執行猶予3年）が申し渡され一件落着。

容疑は認めているのだからオヤジの件はそれでいい。ていうか、被告が争う姿勢を見せても、簡裁のスピード至上主義は変わらないんだが。

この次に見た裁判も、簡裁ならではのイージーさにあふれる好審理だった。役者がいい。裁判官と検察官は、いかにも《公務員》風の佇い。弁護士は推定70歳のご老人。全身からダルさをまき散らしてくれている。

そして主役は、見るからに気が弱そうな57歳激ヤセ男。前科前歴合わせて15犯の窃盗常習犯である。

事件はこれまで傍聴してきたなかでも断トツでセコい。コンビニでの年賀葉書泥棒だ。ここまでくると、むしろ渋いと言いたくなるね。

争点はないので情状を巡る駆け引きになるのだが、いきなり被告が先手を取った。職業を尋ねられて「旅館の番頭」と答えたのである。

「えー、それは旅館勤務でよろしいですね」

古風な言い回しで裁判官の意表を突いたら、すかさず涙。そして老弁護士が立ち上がる。老獪《ろうかい》な話術でどこまで劣勢を挽回してくれるのか。

「アナタ、今後こういうことをしないと約束できますか」

お、意外にもシメの部分を最初に持ってきた。さて、ここからどういう質問に移行する気なんだろう。

「はい。絶対、もういたしません」

間をおく弁護士。3秒、5秒、そして口を開く。

「終わります」

ひぃ〜、弁護人質問最短記録更新だ。この弁護士、ひょっとするとミスター簡裁と異名をとるようなお方なのかもしれない。

あっけに取られる被告に同情したか、検察が少し長めに時間を与えた。するとしゃべるしゃべる。泣きながら、鼻をすすりながら、母親の死を語る。

今回の事件は母親の葬式の香典返しを宅配便で送りにいったついでに行ったもの。母に申し訳ない。もう自分を守ってくれる母親はいないから悪いことはしない。

「旅館に頼んで山の中で働かせてもらうことになりました。山ならコンビニもありません」

このマザコン男は自分なりに必死なのだ。なんとかして執行猶予を勝ち取ろうとする気迫がうかがえる。手クセの悪さを除けば小心でマジメであることは、旅館が金を払って保釈になっていることからも推測できた。求刑は1年だが、この裁判官なら甘い判決を下すかもしれない。

「ということですので寛大な判決をお願いいたします」

弁護人は最後まで超あっさりした態度に終始。結果がどうなろうとかまわないという気持ちがニジミ出ている。数え切れないほどの事件をこなしてきた老弁護士にとって、今回の事件など取るに足らないゴミのようなものなのか。

部屋を出るふたりを追うと、後ろ姿がこれ以上ないほどたそがれていた。両者終始無言。仕事に情熱を失った男と、最愛の母を亡くし途方に暮れる男。どことなくユーモラスなツーショットである。

ぼくは、その場に立ち尽くし、哀愁の後ろ姿をスケッチした。

★路上生活女と年賀葉書泥棒は、うっかり判決を聴きに行くのを忘れてしまった。反省だ。でも、再犯の可能性が低い（やったとしても軽い犯罪と見込まれる）ことから、たぶん執行猶予はついたと思う。もしも彼らのような犯罪者に実刑を下していたら、ただでさえ不足気味の刑務所はいくら新設しても足りなくなるだろう。ところで、ぼくはこのとき以来、ハードな裁判後の口直しに簡裁を覗く機会が増えた。誰もいない傍聴席で、リラックスしながら小事件を傍聴するのも、《人生いろいろ》が実感できて捨てがたいのだ。

第23幕　外国人レイプ裁判

同胞のデートクラブ嬢を監禁

今まで興味津々ながら「これだ！」という事件に遭遇しなかったジャンルがある。レイプと外国人裁判である。両方とも数はあるのだが、質がいまひとつ。とくにレイプ事件は後述する事情により、傍聴できそうでできない事態が続いて不満が蓄積していた。レイプの詳細を聞くことが傍聴男としての悲願となっていたと言ってもいい。

その思いが、ついに叶った。しかも、外国人によるレイプ事件という、一石二鳥の展開である。

まずは外国人が絡んだ誘拐・監禁・強姦・身代金請求など派手なアイテムが勢揃いした事件。勇んで傍聴に行くと、被告席に座っていたのは、アイドルタレント並のルックスをした22歳の中国人ヤサ男だった。

強姦というと、女に飢えたオッサンや雰囲気の崩れた遊び人風オヤジ、青白い顔の冴えない若者あたりが定番。しかしこの男リャン・テオー（仮名）はまったく違う。渋谷あたりを歩いていたら女に逆ナンパされそうな美青年なのである。

こんな男がなんでまた強姦したのか。目的は金だ。強姦はついでというか口封じの意味。逮捕され、起訴されたんだから失敗してるわけだが、これまで同じ手口で何度か犯行を重ねていたらしい。

強姦の必然性はあまりなく、まぁヤリたかったってのが本音だと思う。仲間と組んでの犯行だから、監禁してる間に、せっかくのゴチソウだからいただきましたってところだ。

事件は計3名による計画的犯罪で、リャンの共犯者は2名の日本人。誘拐も強姦も悪質だが、さらってきた女を《モノ》としか見ないところが一番怖い。しかも、せっぱ詰まった動機などなく、小遣いほしさで軽くやってしまっている。

手口はシンプル。デートクラブで働く女を誘拐し、ホテルに監禁して知人や関係者に片っ端から電話をかけ、金を脅し取るのだ。

電話を済ませると自分たちはホテルから出ず、女の両目と口にガムテープを貼り、ホテル備え付けの浴衣《ゆかた》の帯で手を縛って、気が向けばレイプして待機する。指定した銀行口座に相手が金を振り込めば一丁あがり。この手口で、たった1日でざっと400万を奪取した。使用するのは特殊な口座ではなく、共犯の日本人たちの普通口座だ。

通常なら考えにくい話である。いくら友人でも警察に知らせることなく身代金を振り込むとは思えないし、犯人が自分の口座を使用するのも大胆すぎる。ではなぜ、こんなことが可能なのか。

誘拐するのが不法滞在中の中国人女性だからだ。さらった女との会話、身代金要求の交渉など、リャンの存在価値もここにある。ちなみにリャンは来日3年なのに日本語がペラペラなので、日本人共犯者との会話もスムーズである。

中国人は同胞意識が強い。友人や知人を頼って来日、一緒に暮らしたり、密に連絡を取り合うのが常識。トラブルのときは協力して事に当たることで仲間を守り、自分たちの安全を確保する。

リャンたちは彼らの絆の強さに目をつけ、利用することを考えた。フーゾク店で働く女の周囲には同業の友人がいるし、日本で成功している知人もいるだろう。警察に通報しようにも、そのことで強制送還になってしまっては苦労が水の泡。50万や100万で済むのなら、金で解決した方がいいと考えるはず、と読んだのだ。

女をホテルに監禁すると、さっさと暴力で脅し、親友の電話番号を聞きだしてリャンが電話。100万払わないと女を殺すと告げる。同様に、金になりそうな知人にも連絡を取る。

要求額が最高で100万円と、無理すれば払える金額であるのもうまい。親友なんか、翌日消費者金融で借金して払ったというから、交渉術も巧みなんだろう。しかも、夜中にさらって、翌日中には振り込みを完了させている。でもって、ヒマつぶしには女をレイプ。ホメてもしょうがないが、やることにソツがない。

捕まったのは、被害者の女友達に電話した際、同棲相手の日本人が事情を知り、こっそり警察に通報。何度も身代金を要求したため、逆探知で居所を突き止められたためだった。

しかしなあ。3人で山分けすれば130万。何度か繰り返したとしても、いつ失敗するかわからない犯罪だ。同胞を裏切り、弱みにつけこんでやることとも思えない。

検察もリャンが日本人に脅されて無理矢理仲間に入れられた線を考えたようだったが、むしろリャンから持ちかけたことだったようだ。リャンは日本人の口座がほしく、日本人は中国語がほしい。これで利害成立ってことである。

事件の詳細が述べられる間もリャンは表情ひとつ変えない。その横顔はクールそのものだ。すでに罪は認めており、あとはなるようになると考えているのだろう。ぼくは事件そのものより、リャンの無表情にゾッとした。我々の知らないところで、こうした事件は後を絶たないのではないか。そして、その主役はリャンのような、同胞社会からもハミだした犯罪者なのかもしれない。

残念なのは、どうしても誘拐話がメインで、レイプが添え物になっちゃってることだ。

こっちはレイプの詳細を聞きにきているんだから、検察ももっと突っ込んでくんなくちゃあ。

被害者女性がマイクとビデオで証言

リャンの裁判から待つこと2カ月。再び外国人によるレイプ事件を発見した。今度はジョン（仮名）という名前からして欧米人である。喜び勇んで傍聴に行ったら、これが大当たりだった。未遂ではあったが、初めて被害女性の肉声を聞くことができたのだ。

レイプ裁判最大の山場は、なんといっても被害者本人が出頭して証人となり、事件の詳細を述べるシーンである。しかし、被害者のプライバシー保護のため、通常は入場するときから衝立でガードされ、傍聴席からは見ることができない。それだけならいいのだが、同様の理由で、事件の核心部分に質問が及ぶと、傍聴人は外に追い出されてしまうのだ。

そのために、カンジンなことは何も聴けないのが一般的になっており、これまで何度も事件のキモとも言える部分を逃してきた。

ところが今日は違う。被害者が別室にいて、ビデオとマイクを使い、テレビ電話のように証人質問が行われたのだ。被害者がどうしても犯人に会いたくない場合、こうした措置が取られることがあるという。

しかもこの日は、具体的な話になっても追い出されることがなかった。おまけに、アジア人ではなく、刑事事件ではめったにお目にかかれない欧米人の単独犯行だ。

事件は今年（03年）1月に発生。被害者が映画を見て帰宅し、住居のあるビルの裏口に近づいた午後11時半に始まる。大柄な外国人が携帯電話で話をしていたのだ。

オートロックをあけて入り、郵便受けをチェックしたところで入り口に目をやると、さっきの男がドアに半身を入れて、なおも電話をしている。そして、彼女がエレベータに乗って7階を押したとき、男も乗り込んできた。

6階を押し、無言で十数秒。何事もなく男は降り、被害者も7階に到着。バッグからカギを取り出そうとした。

そのとき、階段から男の姿。だが、被害者はとくに不審には思わなかった。6階にはよく外国人が出入りしている事務所があり、そこの関係者だと思ったからだ。事実、男は「事務所に人がいないのだが行き先を知らないか」と片言の日本語で尋ねたそうだ。

つい同情して、管理人に電話で聞いてみようと思い、カギを手に背中を向けた瞬間、男が襲いかかってきた。7階には他に部屋はない。

「すごい力で腕を捕まれ、倒れたはずみでドアのそばにあった折り畳み式の机の脚が折れてしまいました」

被告人席にいるジョンは推定190センチ、80キロの大男。華奢な脚だったら折れる

7.5〜10分ぐらい
Oh! No
ヤッテマセ〜ン
股間とは具体的にどこですかて、

わなあ。

倒れた反動で正面を向いた女性のスカートのなかに、強引に手を突っ込むジョン。もがく女を今度は引っ張り上げ、エレベータ脇にあった椅子に投げつけるように座らせると、自分は床にひざをついて、スカートの中に両手を侵入させた。

ところがこの日、被害者はパンティの上にボディスーツを着用、さらにパンストも身につけていたため、脱がせることは困難だった。しゃにむに触るジョンから身をかわし「やめないと叫ぶわよ」と日本語&英語で言いつつ、じりじり後ずさったところ、しつこいジョンがまたまた突進。背後から尻を触りつつ胸を揉みしだく。

もうアカン。このガイジンの目的は強盗でもなんでもない。ほっとくと犯される。ってことで、ついに被害者が大声を出し、ジョンは慌てて逃げ去った。これが概要である。

う～ん、書くとどうってことない感じだな。実際、レイプは未遂だし。でも、被害者本人の口から生々しく語られると、臨場感があるのだ。

性器を口に含んだことは?

質問をする検察官や弁護士も、傍聴男のニーズをよくわかっていらっしゃる。

「股間を触られました」と女性が言えば、すかさず検察は、

「股間というのは具体的にどの部分にあたりますか。たとえば性器であるとか」

「せ、性器です」

「性器を触られた、これは手のひらで、それとも指で」

「指です」

「その指は触っただけですか、動かしていましたか」

「……激しく動かしていました」

「胸を触られたというのは、触れたという意味ですか、それとも揉まれたのですか」

「揉まれました」

ディテールをどんどん積み上げてくれる。こんなこと聞いてどうするんだよと思うくらいしつこい。また、いかにも聞きにくそうに質問するところがスケベっぽいんだよなあ。ありゃ楽しんでるね。

弁護士は弁護士でネチネチとしたツッコミを披露する。

「動かした指が性器を触っていたのかどうか、ボディスーツなどを着用していてわかるものでしょうか」

「わかるに決まっているじゃないですか。ずいぶん失礼な質問だと思います」

「あなたのほうから被告のジッパーを開け、性器を口に含んだなどということはありますか?」

「ありえません!」

どうしてこんなことまで聞くかと言えば、ジョンが事件を否認しているからだ。自分は女に誘われてフェラチオをさせただけだと言い張っているのである。

むろん、デマカセであることは明白だ。被害者が開けようとしていた部屋には、母親と妹が住んでいるのだ。自宅の前のフロアに男を引っ張り込んでフェラチオする女など、いるはずがない。

それにしても、少しかすれ気味の声でこんな話をされたら、妄想が膨らむ。身長174センチであることだけしか情報はないんだけど、モデル並のいい女が浮かんでしまうのだ。傍聴人はみんな、ジョンと《自分好みの女》がもみあうシーンで頭の中がいっぱいだったと思う。

公判は延々4時間も続けられた。未遂の割にやけに丁寧だと不思議に思っていたのだが、最後になって裁判長が「前回の件で少し追加質問を」としゃべりだした。エレベータに乗り合わせた女性の胸をいきなり触り、返す刀でスカートに手を入れた件。そのときは飲酒に加えコカインも摂取していたようだ。

なるほど、ジョンの野郎、他にもいくつか似たようなことをやらかしているんだ。今日、証人になった女性が被害届を出したところ、同様の事件がいくつもあり、警察がマークして逮捕に至ったということなのだろう。

いいね、見応えがある。不良ガイジンのジョンはレイプに成功したことがあるのか。

さらなる証言者は登場するのか。アメリカ人に甘いという噂の裁判所がどんな判決を下すのか。まだまだ先は長そうだが、じっくり追いかけてみたい。

★リャンの事件もジョンの事件も、原稿に書いた以上には刺激的な展開にならないまま長引き、こっちが根負けして傍聴しなくなってしまった。口はばったい言い方になるが、事件が短絡的で深みがないっていうんですか、あまり《人生》を感じさせてくれないのだ。まあ、貴重な被害者の肉声を聴くことができたから、傍聴男としては満足だ。

第24幕 ロリコン男よ どこへ行く

児童買春オヤジの息子の葛藤

マニア諸氏の雑談にヒントを得て、児童買春を集中傍聴してみた。例によって喫煙所で雑談していると、その手の傍聴を終えた数人が盛りあがっていたのだ。13歳の女の子を買ったオヤジの裁判で、20代の若い息子が証人になって父親をかばったらしい。おもしろさのポイントはどこなのか。

「父親を見る息子の複雑な表情とか、味があっていいんだよね」

息子として父親は助けたいが、児童を買う行為は人として許し難い。ハレンチ事件を起こした父親を持つ息子としての恥ずかしさもある。そのあたりの葛藤がニジミ出て、コクがあるのだという。

「息子にそこまで世話になったら、オヤジもさすがに反省するんですかね」

「するだろうけど……いつまで持つかだね」

興味本位で児童を買う男もいるが、真から児童好きな、いわゆるロリコンもいる。後者である場合には、再犯の可能性も高い。傍聴人としては、被告がどちらなのかを判定する楽しみもあるわけである。う〜ん、さすがに皆さんディープだわ。

ところで避妊具は使ったのですか

受付の公判予定表で《児童買春・児童ポルノ法違反》をチェックし、4階の法廷へ。入室すると、すでに被告がうなだれて席に着いていた。どんよりした目を持つ地味な感じの男。典型的なムッツリ助平タイプだ。

傍聴席を見渡すと、最前列に被告そっくりのオヤジがいる。父親だな。証言するために呼ばれたようだ。

読めたぜ。罪を全面的に認めての情状狙い。執行猶予取りにきたな。

事件は単純。男（31歳）は携帯で見つけた出会い系サイトで中学生専門に買春を行ったのだが、ある女の子が別件で捕まり、そこから足が着いて御用になった。

検察官が一言で動機を言い尽くす。

「被告はぜひ中学生とセックスしたいと思い、毎回3万円支払った」

セックスしたら、あまりの気持ちよさに止まらなくなり、毎週の休みに買いまくったようだ。その数、半年間で20人は下らない。もちろん相手は全員中学生。

たまには高校生を試そうなんてことは考えない。街でナンパしてとか、そんなことも一切考えず、お手軽な買春一本で欲望を満たす。

イヤな野郎だね。おとなしそうな顔をしてるが、ベッドではふんぞりかえっているんだろう。セックスもねちっこいに違いない。いや想像だが。

「なかには処女もいた。間違いありませんね」

検察官もむかつき気味なのか、男のバージンキラーぶりを暴露。裁判官の心証悪化を狙う作戦に出た。で、いくらなんだ。処女だと割り増しなのか。

「買春は法律に触れること、まして児童買春は重罪であることはわかってたんじゃないですか」

だめだめ、そんなヌルい質問では傍聴席のテンションが下がるだけだ。せめて、処女と知って躊躇しなかったかぐらいまでは畳み込んでほしい。思わず心のなかでなじる北尾である。

しかし、これは検察の演出だった。この後、より衝撃的な事実が暴露されたのだ。

「ところで避妊具は使ったのですか」

「え、あ、それは」

「使ったのですか、使わなかったのですか」

「……使いませんでした」

うわ。中学生の処女を相手にコンドームも使わずセックスしている図が浮かんできちゃったよ。鬼畜じゃん。処女を売るほうもどうかしてるっていう考えは吹っ飛んでしまう。

　男はあくまで自分の快楽至上主義。後のことはどうなっても知らない無責任ぶりが、避妊せずの一言であからさまになる。

　効いたね、この一発は。裁判官も一段と表情が険しくなった。お見事、検察官に座布団3枚！

　弁護士の要請で証言台に立った父親は、最初から泣き出しそうな顔だった。どう考えたって同情の余地がない事件である。

「息子は仕事はマジメにやるんですが、気が弱く、社交性にも欠けています。今後は二度と罪を犯さないよう、私がキビシく監視役を務めたい」

　セリフは平凡だが、ぶるぶる震える右手に、親としての恥ずかしさがあふれ出ていて好感が持てる。でも、この父親には致命的な弱点が。顔が息子そっくりなのだ。もしかすると中学生好きは親譲りなのではと思わせるほど酷似している。

これはつらい。ぼくが裁判官なら、この親に更生をまかせて大丈夫なのかと不安になる。できれば母親が出てくるべきだったと思うがどうか。

激似顔のせいもあり、父親の証言は説得力ゼロだ。

「できることなら大人の女性と交際して、落ち着いた暮らしをさせたいです」

見合いとかさせそうな勢いだけど、それで解決ということにはならんだろう。被告にとっては、相手が中学生であることが重要だったのだから。

「今後は常識ある社会人としての行動を徹底させたい」

まずは下半身教育からやりなおすべきだろう。おそらく被告はハタチを過ぎた女と性交した経験がないはずだ。とりあえず、親子でソープに行くことを勧めたい。

最後に息子が、いまの気持ちを述べろと言われ、マイクの前へ。退席する親父には目も合わせず、気持ちのこもらないお詫びをした。

「えー、相手には悪いことをしたと思っています」

思ってないって！　腹の底では、運悪く捕まってついてねーなとしか思ってないのがミエミエ。本当はどうだかわからないとしても、緊張感のカケラもない表情からはそうとしか感じられない。

執行猶予で表に出たら、またやっちゃうんだろうな。買春で妊娠させるっていう、最悪の展開にならないことを祈るばかりだ。

3年貢いでカモられて

その後も何件か同種の事件を傍聴したが、いろいろ買春したなかに中学生も混じっていただの、被告が20歳で女の子との年齢差が5歳とかでは傍聴にも力が入らない。見たいのはロリコン野郎。《避妊せず男》を上回る異常性を感じさせるヤツはいないのか。

しかし、これが数日のうちにしっかり発見できちゃうんだから裁判所ってすごいわ。女子高生に狂い、ハメた写真を公開すると恐喝の末、通報されて捕まった37歳の会社員が見せ場を作ってくれた。

何しろこの男、女子高の雰囲気を味わいたいがために校内に不法侵入した、実に冴えない前科を持つ強者。2年半前、出会い系サイトで見つけた当時12歳の少女にイカれ、人生狂わせてしまった。ただし、最初の2年は肉体関係なしだ。

「初めのうちはセックスをしてもらいたくて金を払っていたが、なかなかさせてくれなかった。それでも金をあげれば喜んでくれるので、それでいいと思っていました」

この段階で、すでに男の気持ちがわからん。好きになったってことなんだろうけど、相手は12歳。セックスはもちろん、恋愛対象となることすら理解できん。

少女から老女までということであれば、男としての懐の深さを感じることもできるだろうが、ピンポイントで少女じゃなぁ。

でもまぁ、少女に恋する中年男は昔からいくらでもいた。それだけなら罪ではない。被告は、セックスしなくてもいいとキレイ事をいいながら、内心ではしたくてしたくてたまらなかった。犯罪になるから躊躇していたのではないのだ。したかったけど拒否されていただけ。話をするだけでも小遣いをくれるオジサンとしてカモにされていたわけなのだ。

そんな被告の元へ、今年の正月に彼女から手紙が届く。それまではすべてメールでの連絡だったから、そりゃもう大感激である。

《やっぱり好きだ。ヤりたい》

熱情に火がついた被告だったが、なかなか望ましい展開にはならない。それどころか、被告の気持ちを弄《もてあそ》ぶように、少女からは「彼氏ができた」「結婚の約束をした」「彼のところにお泊まりした」とメールがくる。こうすれば、気を引くためにまた小

遣いをくれるとでも思ったのだろう。

しかし、そうはならなかった。すでに少女は14歳。ロリコン男にとって、残された時間はあまりないのだ。男は勝負に出ることを決意する。

《オレのところには泊まらないのに、彼氏にはすぐにカラダを許しやがって》

ジェラシーがピークに達した被告は行動を起こす。泊まりにこなければ自宅に電話すると脅したのだ。

で、7万も払って念願のセックス。ついでにズリネタ用にデジカメで陰部をパシャリとやった。が、やっとの思いで関係しても少女の態度は変わらない。何度メールしても会ってもらえない。

やがて、オナニーでは満足できなくなった被告は写真をネット上に公開すると脅しをかけ、それがイヤなら泊まりにこいと脅迫。怖くなった少女が警察に相談して、逮捕されることになった。

「彼女を愛しているからです」

「正直言って歳も歳ですんで、彼氏にはなれないとわかっていましたが、彼女さえよければ交際を続けたいと考えていました」

これぞオトナの余裕……じゃないよ。ホレた弱みだとしたらあまりにも趣味が悪い。

ひどいよこの女は。引っ張りまくって2年。金づるとして利用価値があるから、そろそろセックスさせとくか、てなもんだ。そんな根性の悪いガキのどこがいいのかさっぱりわからない。

純情中年を装っている被告にしても、根っからのロリコンだとすれば、2年間もガマンできるわけがないのだ。性欲を満たすため、絶対、他にも少女を買ってる。37歳の会社員でほかに趣味もなければ金はソコソコあるのだから。

母親が証人としてきていたけれど、この親は金持ちなのか、どうしようもない犯罪を犯した息子を保釈にしている。証言も息子に甘い発言に終始。キビシさのかけらもない。

性悪女にロリコン男。そして過保護のバカ親。聴いてるこっちの気分が悪くなってくる展開だが、まだ終わらない。圧倒的に不利な情勢を挽回すべく、弁護側が最後の勝負をかけたのだ。

弁護人は、被告が少女に謝罪文を書き、もう一生会わないと誓っていることをくどく強調。なぜ、会わないと言えるのかと、あえて被告に質問を振った。求められる答は彼女をこれ以上傷つけないためとか、そんなところだろう。

だが、被告のロリコン魂はそんな回答を許さない。金をほしがる相手に金を出してどこが悪いんじゃ。そうよ、オレはビョーキだよ。でも、2年は小遣いを与えてガマンした、オレの気持ちがおまえらにわかるのか。

一呼吸置いて、被告は叫んだ。

「彼女を……愛しているからです！」

酔ったように立ち尽くす被告の顔は、愛を告白できた喜びに満ちていた。

こいつ、執行猶予ついたら確実に会いに行くな。半年以内にそうする確率が70％はある。なんとか思いとどまったとしても、再び児童買春に手を出す確率は１００％の太鼓判だ。

被告以外の全員が確信を抱いたところで、公判は終わった。

★社会的問題としての児童買春は知っていても、身近にそういう存在がいない人にとっては、あまりリアルな問題じゃないかもしれない。だが、傍聴に行くとこの種の事件が本当に多いことがわかる。娘ほど年齢の離れた少女を夢中になって追いかける男たちは後を絶たないのだ。ここで取りあげた被告たちだって、裁判所の外で会ったら、ロリコンかどうかなんて見分けがつかないはず。スーツにネクタイでビシッと決めたビジネスマンのなかに、児童を買う男たちが潜伏しているのだ。そして、その数はアナタが想像するよりはるかに多いのではないか、とぼくは思う。

またやるな
ガクッ
愛しているからです！
アホが。。。

第25幕　かくも不幸な人生

産まれた子供は重度の障害児

ロビーで雑談していたマニア諸氏が向かったのは、地味な窃盗事件の法廷。夏枯れで公判数が少ない上、ロクなのが見あたらず、時間つぶしの傍聴である。

ぼくもくっついて入廷したのだが、この気楽さがよかった。何の期待もないまま裁判を見るうちに、どんどん感情移入し、気がつけばカラダを前のめりにしながら集中してしまったのである。

事件は単純だ。これまで何度か窃盗などの小犯罪でつかまり実刑を食らっている52歳の男が、出所後半年もしないうちに浅草の路上でハンドバッグのひったくりを2連発。通報で駆けつけた警官に職務質問され、あえなく御用となったというものだ。

生活費ほしさの犯行で、奪った金は計5万3千円。被告は無職、バツイチ独身オヤジ。検察側の言い分にすべて同意しており、争う意志は皆無。実刑は確実である。

宣誓書を乗せる小机が見あたらないところをみると被告の親戚や関係者による証言は

ないようだから、波乱があるとは考えにくい。

小柄で薄い髪、温厚そうな目つきなど、被告が悪党には見えないのも窃盗事件ではよくあること。どうせ働くのがイヤだとか、酒に溺れていたりして、社会復帰する気のないまま犯行を重ねたのだろう。ぼくはアクビをかみ殺すのに必死だった。

ところが、被告人質問で流れが変わる。少しでも刑を軽くしようとするのが仕事である弁護士の巧みな質問に誘導されるかのように、トツトツと被告が語り始めたのだ。

かつて自分は平凡だが着実な人生を歩んでいた。非行に走ることもなく普通に育ち、新潟県のある町で全国にチェーン展開するスーパーマーケットに就職。もともと遊び歩くタイプではないのでマジメに働いて、好きな女性と出会って結婚もした。けっして派手ではないが、楽しい家庭を築き、一所懸命に生きていこうと思っていたのだ。

「相手の家の事情で養子に入ることになりましたが、とくに問題はありませんでした。夫婦仲も良く、幸福だったと思います」

まだ30代前半。被告にとって、人生はこれからが本番のはずだった。でも、順調だったのはここまで。つかみとったかに思えた幸福は、長男の誕生をきっかけに少しずつ歯車を狂わせ始める。

長男は障害を抱えて生まれた。ヘタすれば一生車椅子生活かもしれない重度の障害だ。被告たちは落胆するが、自分の子どもである。障害を抱えた子どもを持つ親は全国にいるのだし、力を合わせて育てることが親の義務だ。

が、ここで義父と義母が本性をムキだしにしてくる。

「障害児が生まれたのは、私の血筋が悪いからだとか、いろいろ言われました」

義父と義母にしてみれば、せっかく養子を取った意味がないということなんだろうか。かなりツラくあたられたらしい。

でもまあ、初孫である。時が過ぎれば義父母の感情も収まり、可愛がってくれるだろう。メゲてばかりはいられない。とにかく自分はがんばるだけ。被告はいままで以上に熱心に働くようになった。

妻子と別れ、父は自殺した

ここで思いがけないことが起きる。会社が倒産したのだ。本格的な不況には突入していなかったものの、地方の小都市ではなかなかいい仕事は見つからない。子どもの治療費がかかるから、のんびりはできず、仕方なくバイトを開始。昼夜掛け持ちで働きだした。

そんな生活が1年ほど続き、疲労がピークに達していた頃、次の不幸が襲いかかる。深夜から早朝までやっていた宅配便会社の仕事で、事故を起こしてしまうのだ。詳細は不明だが、被告の責任ということで、会社に弁償をせまられたらしい。

貯蓄はなかったから義父と義母に相談してみたが、答は「一銭も出さない」。そればかりか、被告をだめな男だとののしるばかり。

このときは実父に頼みこんで払ってもらったが、妻の実家との関係は修復できないほど悪化していった。

「トラブルが立て続けに起き、家に帰りたくない気持ちから酒に溺れるようになっていきました。再就職もできず、妻との間もギクシャクしてきて。平成元年には離婚することになりました」

義父と義母にイビリまくられ、味方であるべき妻にも見放され、追い出されたのだ。もちろん息子の養育権は母親。被告は寂しく家を出て、後ろ髪を引かれる思いで関西に向かう。

これから先、どうしようか。とりあえずの居住先を京都に定めた被告に、情け容赦なくトドメの不幸が襲いかかる。

「実家の父が、自殺したんです」

被告の実家があるのは保守的な小さい町。離婚の件などで、親戚筋から父親に相当のプレッシャーがかかったという。育て方が悪い、養子に出したのが間違い、などである。

「尊敬していた父が自分のせいで自殺したことで、すべてを失ったような気になり、人生に対して夢や希望を持てなくなってしまいました」

浮気したわけでもない、暴力を振るったわけでもない。普通にマジメにやってこの結果である。平凡なサラリーマンであり父親であるはずだった男が、たった3年ほどの間に職を失い、妻子と別れ、父は自殺、故郷にも帰れない身になってしまう。順調に過ごしてきた人間でも、いくつかのトラブルが重なるだけで坂道を転がるように不幸になるのだ。

リアルだよなあ。

終身雇用は過去のもの、離婚などあたりまえのように行われるいまの時代、足場のしっかりした場所に立っている人間など少数。大部分の人間は、微妙なバランスの上で、何とか生活を維持している。

ぼくなんかフリーライターで安定性ゼロ、貯蓄も資産もまったくないから、常に坂の分岐点にいるようなもんだ。仕事がなくなり、夫婦仲が悪くなり、交通事故でも起こしたらどうなるか。すでに40代半ばで特技も体力もない。不況で人は余っている。万事休すな感じである。

15年ぶりに妻へ連絡を取ったら

ひとりになった被告は、ただ飯を食うためだけに仕事を転々とし、稼いだ金で酒を飲んだ。でも、年を追うごとに雇ってくれるところはなくなってくる。気持ちもすさむ。

そして、とうとう1997年、窃盗を行い初逮捕。1年の実刑の後、再び窃盗で今度は2年の刑を勤め、2003年1月に出所する。

だめな男である。不幸を背負った人間は世のなかにたくさんいるはずだが、彼らの多くは歯を食いしばってがんばり、犯罪者にはならない。その点で被告に同情の余地はない。

けれど自分がその立場になったらと思うと、ぼくにはがんばり抜く自信がない。新しい生活基盤は作られていないわけだし、たぶんヤケになってしまうんじゃないか。被告は弱い人間だけど、ぼくだって強くなどないのだ。どうしても《自分とは縁のない犯罪者》とは思えない。

人生に疲れた被告にとって、拠り所となるのは別れた家族しかいない。出所後、被告は15年ぶりに妻に連絡を取る。

「妻は会ってもいいと言ってくれ、新潟まで行きました。息子はもう18歳で、結局、ずっと車椅子暮らしのままです」

義父や義母が健在なので家に行くことはできず、息子にも会えなかったものの、妻は音沙汰のなかった元夫を心配していたようだ。できるだけマメに電話をしてくれと言われたという。

妻は再婚もせず、女手一つで重度の障害児を育てあげていた。その苦労は並大抵ではなかったに違いない。

悪かった。オレがしっかりしていれば。反省とともに、これまで封印してきた希望の灯がともる。

ひょっとしたら復縁できるかも。

言葉は悪いが、義父と義母がいなくなるまで辛抱すれば、その可能性は大いにあるはずなのだ。

でも結局、やっちゃうんだよ、ひったくり。ここがカンジンというところで、被告は現実のつらさに負けるんだなあ。

いや、犯罪までの半年間、必死ではあったのだ。前述したように、被告はもともと悪党じゃない。マジメで実直な人間が《前科者》のハンディのなかでモガいている姿を見て、何とかしてやりたいと思ってくれる人が現れ、出所後すぐに部屋を借りてくれたばかりか、半年分の家賃を先払いもしてくれた。

応募しては断られ、また求人情報紙で職を探すことを繰り返し、やっと見つけたのがラーメン屋の店員。しかし、経営者はヤクザで、待遇などもめちゃくちゃ悪く、1カ月でやめてしまう。このとき5月。先払いしているのは8月一杯。その後は自分で部屋を借りなければならない。

で、このままじゃラチがあかないと思い詰め、東京ならと考えて上京するのだが職探しは難航する。そして、ついに所持金が尽き、また窃盗。ちなみに、捕まる日まで妻には毎日欠かさず電話していた。

裁判長、ひとこといいですか！

若い女性検察官による質問では、容赦なく被告の弱さが追及された。そんなことでこの先、やり直せるのか。奥さんには正直に、これまでの犯罪のことを話しているのか。

ったく、電話なんかで言えるわけがないではないか。それができる人間なら、とうに何とかなってるって。話したいけど話せない、話すことで最後の望みを絶たれることがどれほどの恐怖か、アンタにはまるでわかっちゃいない。

だからこそ被告は、今度出所したらまっすぐ新潟に帰る、たとえ女房が許してくれなくても、子どものそばにいて、遠くからでも見守っていきたいと言ってるんだよ！

心のなかでため息をつきつつ、似顔絵でも描こうとペンを走らせ始めたときだ。隣りに座っていた男が突然手を挙げた。

「裁判長、ひとこといいですか！」

東京に住む被告の従兄弟だった。父親が自殺したときの葬式で会ったとき、何か困ったら電話してくれと番号を渡し、ずっと被告の身を案じていた、仲のよかった年下の従兄弟である。傍聴席からの発言は禁止されているが、感極まって言葉が出てしまったのだろう。

弁護士から連絡が行かなければ、男は裁判所にこなかったはずで、くるなら情状酌量を狙う弁護士は証人になってほしいはず。そうなってないのは、被告がそれを拒否したためとしか思えない。つまり被告は、腹をくっているのだ。

「そういう人がいるなら、なぜ電話しなかったのですか。なぜ助けを求めないのですか」

検察官がまた、アホな質問をする。だ・か・らぁ、それだけはしたくなかったんだよ絶対に。ばかげているとしても、頼らないことが被告のプライドであり、自殺した父親の二の舞を防ぐ方法だったに違いないのだ。

なんでだ、水くさいじゃないか。オレのことまで世間体ばかりにこだわる親戚だと思っているのか。隣の男はそう思い、被告の後ろ姿を食い入るように見ている。膝の上で握られたコブシがとても切ない。

もう似顔絵など描くことはできなかった。3年という求刑を聞きながら、その後の被告と家族の人生に思いを馳せる。

重い気分で部屋を出ると、従兄弟が弁護士に詰め寄るように話しかけている。妻だった女性に連絡して面会させようとか、そういう相談かもしれない。もしそうだとして、すべてを知っても被告を受け入れてくれるだろうか。答はぼくにはわからない。

疲れて帰ろうとするぼくのそばを、傍聴マニアたちが軽やかな足取りで行きすぎ、すかさず向かいの部屋に入っていく。おいおい、はしごかよ。つくづくタフだわ、この人たちは。

★判決は懲役2年半の実刑だった。求刑より6カ月減ったとはいえ、シビアである。それより気になったのは、判決の日に従兄弟の姿がなかったこと。出所後、被告に自力で立ち直れる力は残っているとは考えにくく、従兄弟の果たす役割で、その先の人生が決まるような気がするのだ。結果はわからないにしても、せめて元妻と息子に一目会わせ、復縁のチャンスを与えてほしいものだが……。

ダメです
水くさいぜ・・・
オレ
裁判長！ひと言いいですか

★特別座談会

裁判長の代わりならいつでもやろうじゃないか

傍聴マニア集団「霞ケ関倶楽部」の面々、大いに語る！

出席者

ヤマさん（山）
「劇的空間」として裁判所をこよなく愛す、マニア界屈指の大ベテラン。72歳。傍聴歴12年。

ダンディ氏（ダ）
裁判所に〝出勤〟時は、常にスーツ姿。マニア度最強、脂の乗りきった49歳。傍聴歴13年。

ナベさん（ナ）
定年退職後、マニアの道に。完璧なデータ作りに定評あり。70歳。傍聴歴10年。

ササさん（笹）
判決まで見届けることをポリシーに所沢から足繁く通う。67歳。傍聴歴５年。

北尾トロ（北）
犯罪の陰に潜む〝人生〟を味わうのが趣味。45歳。傍聴歴２年。

尾形誠規（尾）
「裏モノJAPAN」編集長。44歳。傍聴経験数回。

傍聴席で、裁判所の喫煙所で、いつも見かけるマニアの方々。情報提供をしてもらったり心構えを教えてもらったり、日頃から世話になっている彼らだが、詳しいプロフィールはわからない。裁判についてじっくり語り合ったこともない。そこで、彼らの傍聴スタイル、その奥義を聞き出すべく、一席設けることにした。

集まったのは、傍聴マニアで結成する「霞ケ関倶楽部」のツワモノ4名。彼らは、いったいどのように裁判と接しているのか。

興味シンシンで始まった座談会は、開始直後から専門用語は飛び交うわ、いちいち話に実例付だわ、話題は勝手に転がりまくるわで、ヒヨッコの北尾では制御不能のヒートアップぶり。2時間以上にわたり、熱すぎるトークが繰り広げられた。

データ派のナベさん以外はすべて記憶だけでしゃべっているのだが、事件の内容から人間関係に至るまで詳細に頭脳に刻まれている彼らは、ほとんど傍聴マシン。以下、そのなかから一般レベルでもついていけそうな部分をまとめてお送りしたい。終始ゴキゲンな会話の端々から漂う「傍聴こそ我が生きがい」という雰囲気が伝われば幸いだ。

※会場＝○○省地下レストラン（裏技を駆使してラクラク入館）

ただの殺人では満足できない

北　今日は傍聴マニアの皆さんに、その魅力を存分に語っていただこうという主旨なんで、ひとつよろしくお願いします。まずは裁判所に通うようになったきっかけからいきますか。

山　最初は裁判というのはどんな世界かな

という興味からだね。趣味としても金はかからない（笑）。そのうちに歳を取ると、東京都から（老人用の）パスがらもえて交通費もいらない。髪をきるのも3割引、4割引だよ。

ダ すごいですよ、山さんは。公判スケジュールの合間に裁判所の地下の床屋さんに予約入れてんですから。しかも、そこへ行くようになった理由ってのが「何期ですか？」と尋ねられたからだって。裁判官に間違えられた。

北 法曹関係者の匂いがしたと。

山 （うれしそうに）退職したからさ、話の流れで「終わったよ」って言ったら「何部に所属ですか」だって。慌てて寝たフリしたけどさ。

尾 こんな喜ばしい誤解はないですねえ。

笹 私は最初、金属バット殺人事件の公判があると新聞で知って、どういうもんだろうとやってきたんです。そしたら、目の前に犯人がいて、やるわけでしょ。びっくりしてね。それを判決まで追いかけたのがきっかけ。

ナ 私はオウムだったなあ。定年になって美術館へも博物館へも行ってみた。でも、そんなの1回見るともうねえ。そんなときにオウムの裁判があった。

山 うん、それまでにもいるにはいたけど、オウムで一気に傍聴人が増えたね。

尾 けど皆さん、どうやって知り合うんですか。

ダ 同じ裁判で傍聴券に並んだり、4、5回顔を合わせると、声はかけないまでも顔見知りになるじゃないですか。それで、喫煙所で会ったりしたら普通、「どちらからきてるんですか」って話になりますよね。

北 なりませんって普通は（笑）。

ナ 私は裁判所にこういう人たちがいるとは思わなかった。ところがある正月にね、（裁判所は4日ぐらいから開くが10日ぐらいまでは裁判がほとんどないにもかかわらず）がらんどうのところにいるんですよ、見たような顔の人たちが。裁判もないのにやってきてしゃべっている。で、声をかけられてね。

ダ それはまだまだ傍聴歴が浅い連中だね。我々は正月は1月20日過ぎでないと出動しないから。

笹 はは。でも、そうやってだんだんと付き合いが生まれてくる。

ダ 5時に法廷が終わったら、日比谷の喫茶店でお茶を飲んで、今日の裁判の感想だとか言い合うわけですよ。1時間くらいしゃべって、それぞれ電車に乗って帰っていく。ときには飲みに行ったりね。

北 そんなことまでやってるんだ（笑）。

ダ 皆さん毎日はこられないでしょ。週に2日か3日のペースだから、会ったときは話したくなる。

尾 （アキレて）はぁ〜、皆さんそんなにしょっちゅう来てるんですか。

山 事件をいくつも追いかけていると、どうしてもね。まあ、ヒマがないとできないけどね。

ダ ナベさんのときは、被告や加害者のお父さんか親類かなと思って声をかけた。

北 ダンディさん、この前も公判が終わっていきなり女の人に話しかけてましたね。

ダ 傍聴席には私たちふたりと、あの人ぐらいしかいなかったし、視線の行き先が被告から離れないしね。加害者の彼女だろうってピンときますよ。

北　そうですか、ぼくは全然……。

ダ　実際、被害者のお母さんとかと話したことも何度もあります。私は秋田出身なので、同郷の人ならそこを糸口に話をしたりとか。

尾　ところでダンディさんはどういうきっかけで傍聴されるようになったんですか。

ダ　民事訴訟できたのが最初ですね。自分のとこの会社で仕事を請け負って踏み倒されたんです。その後、なんとなく傍聴する側になってしまったんですね。

北　ところで、これまで聞く機会がなかったんですが、ダンディさんって何者なんですか？　弁護士か新聞記者崩れですか。

ダ　ま、そう言われるのが快感だったりすることは否定しませんが、本業は印刷関係の仕事なんですよ。外回りの合間に傍聴しているというか、傍聴の合間に外回りしているわけです。

山　だけど人間て不思議なもんで、最初はドキドキして自分が被害者か加害者になったような緊張感で傍聴していたのに、それがいまではたまに居眠りをするようになるんだからねえ。

ダ　慣れると「なぁんだ殺人か」っていう感じになっちゃいますよね。ただの殺人では満足できない。やっぱり絞殺でなきゃとか、エスカレートしてくる。

山　(今日はどうなんて話になると) たいしたものないよ、なんにもないよ、とか。もう不謹慎っていうかさ。

2年も傍聴してたら裁判官に顔を覚えられる

山　外国は知りませんけど、日本は素晴らしいなと思うのは、地下の食堂でね、裁判官が我々と一緒に食事をするんだな。それが初めの頃、私がチケットを持って立ってたら、肩をポーンと叩いて「あなたチケット出さないと自分の番こないよ」って言ったのが……。

ダ　いま札幌地裁の所長をしておられるMさん。我々にとっては思い入れの深い裁判官です。裁判所の人事はおもしろくてね、自分の出身都道府県に所長として行かせるんですね。Mさんってのは中央大学卒業の裁判官で、出身が北海道なんですよ。そういう配慮がある。

北　人事にまで目配りしてるのか。

ダ　この裁判長、次はどこに行くんだろうと興味が湧いてくるんですよ。とくに思い入れが強い裁判長はね。あの事件、殺人未遂だったけど、やられたほうが悪いよなあという事件があるとするじゃないですか。未遂なら求刑が5年ぐらいでしょう。情状、つけてくれるかなあと思って見ていて、つけてくれると「この人はなかなか」となる。それは、長く見るとわかりますよ。裁判長の名前なんかすぐ覚える。

北　ぼくはまだ事件を追うので精一杯だな。どうしても被告中心になる。

ダ　裁判所の人間関係を摑むのも大事ですよ。大きめの図書館ならそれなりの資料が揃ってますから。

北　図書館ですか。

ナ　いまの被告って話ですけどね、まず見るのは被告なんだけど、私がビックリしたのは被告がウソをつこうが何しようが、あれいいんですよね。我々は常識としてウソをついたらいけないと思うけど、被告はウソつき放題。裁判官はそれを見極めなきゃならないんですから大変。それぞれ力量ってもんがあって、数をこなすうちにそのあたりが見えてくるんだな。裁判官次第で公判の雰囲気そのものもずいぶん変わるからね。

笹 あの裁判官が裁く事件なら見ようとか、逆に、あの裁判官にあたって気の毒だなってこともある。

ナ 裁判官も人間で、裁判所も人間の集まりだから、会社と同じだね。学閥がある、派閥がある。学閥で言えば、東大と京大ですってね、最後はね（断言）。

ダ 女性の裁判官も、昔は勉強だけってタイプがほとんどだったけど、最近はキレイ。顔がキレイで頭がいい。すぐ覚える。

山 弁護士さんもキレイな人がいるもんな。

ダ （ビールを飲み干しながら）あと5年か10年後には、3人の裁判官のうち2人が女性って時代が必ずきます。違いますよォ、真ん中に男の裁判長で両脇が女性なんていうと雰囲気が。

北 傍聴席が女子高生で満員だと裁判官も張り切ってますよね。いやに声がでかかったりして。判決の後の説教がすごく長いとか。

山 だから傍聴人がいることにも意義があるんだよ。見られていると思うと活気が出るけど、誰もいないと本当に流れ作業になってしまう。

北 小さな事件にもガンガン傍聴人が押し掛けてプレッシャーかけないといかんですね。傍聴人がいると被告も張り切るし。

（マニア一同うなずく）

笹 我々にも存在意義があるってことだ。

ダ 裁判員制度も結局はそれですからね。

ナ （資料を取り出しながら）一番出世した裁判官はどういう人でどういうコースなの

かってことを考えるんですね。出世する裁判官と左遷される裁判官の境目は何か。そのあたりを研究中なんです。たとえば東京地裁から高裁というのはエリートコース。あと、外に出ても2、3年で東京に戻ってくる人はエリートなんだな。

山　今日もいたよ。強盗監禁かな。悪辣なのを4人ばかり相手に、グングンやってましたよ。3年前、この人はすごいなと思ってた人だけど、やはり戻ってきてた。

ナ　私の見るところでは、見栄えのいいのが出世する傾向にあるね。いかにも裁判官らしいのがエラくなる（笑）

山　しかし派閥というのは強烈だね。食事のときでも、彼らは必ず3人でくるでしょう。裁判長を先頭にして、右左に判事がいて。

北　横綱土俵入りだ。

ダ　テーブル見ると、一部、二部、三部と、部ごとにちゃんと分かれてる。

北　横の交流は？

山　ないないない。

ダ　あるんでしょうけど、裁判所内では見せない。エレベータに乗る順番から決まってるからね。

山　だけど、私が見たなかでひとりだけ、派閥を超えて各裁判官が挨拶をする裁判官がいましたね。あっというまに出世しちゃって、いまは最高裁にいるのかな。あれは不思議だった。キビシイ人でねえ

ダ　私は好きな裁判長でしたね。エレベータ一緒になったことあるんですよ。そしたら（傍聴しているのを）何回も見てるからだろうけど、すっと会釈されて。あれでもう虜になった。

北　マニア殺すにゃ笑顔で充分！

山　ある裁判長に日比谷公園でばったり会ったら黙礼するから、こっちも黙礼しちゃった。知ってるんだ、向こうは。
ダ　2年ぐらい傍聴していると、裁判長に覚えられてると思っていい。彼ら、人を見るのが仕事ですから。
山　早いよ、その目つきは。
北　てことはオレもそろそろ。
笹　今度から黙礼しないと（笑）。
山　その一方で、時間ばかり気にする裁判官も多いね。法廷では裁判官の正面に時計があるでしょう。帰りたくてしょうがない。とにかく時間をせかすんだ。事件なんてどうでもいいんだから。そういうのに当たった被告は可哀想だよ。身を乗り出して聞いてくれる裁判官とじゃえらい違い。1年ぐらい余計に食らってんじゃないの。裁判官も人間だよ。いくらがんばったって感情の動物だよ。
ナ　Aさんなんてオウムの裁判で有名になっちゃって、いま千葉だっけ、出世コースだよね。
笹　宇都宮から千葉。青森では……（以下、裁判官情報で盛り上がるがマニアックすぎてわけがわからないので割愛）。
ナ　（資料を見せながら）ほら、こういう具合に出世コースが。
尾　この裁判官や被告たちの写真はどこで手に入れられたんですか。
ナ　あ、テレビで。
山　ナベさんはワイドショーを録画してるもん、すごいよ。
尾　（呆気にとられ）いちいち録画して裁判官の顔を集めたんですか。
ダ　ナベさんの資料は週刊誌の記者が欲しがるんですから。売ってくださいって言わ

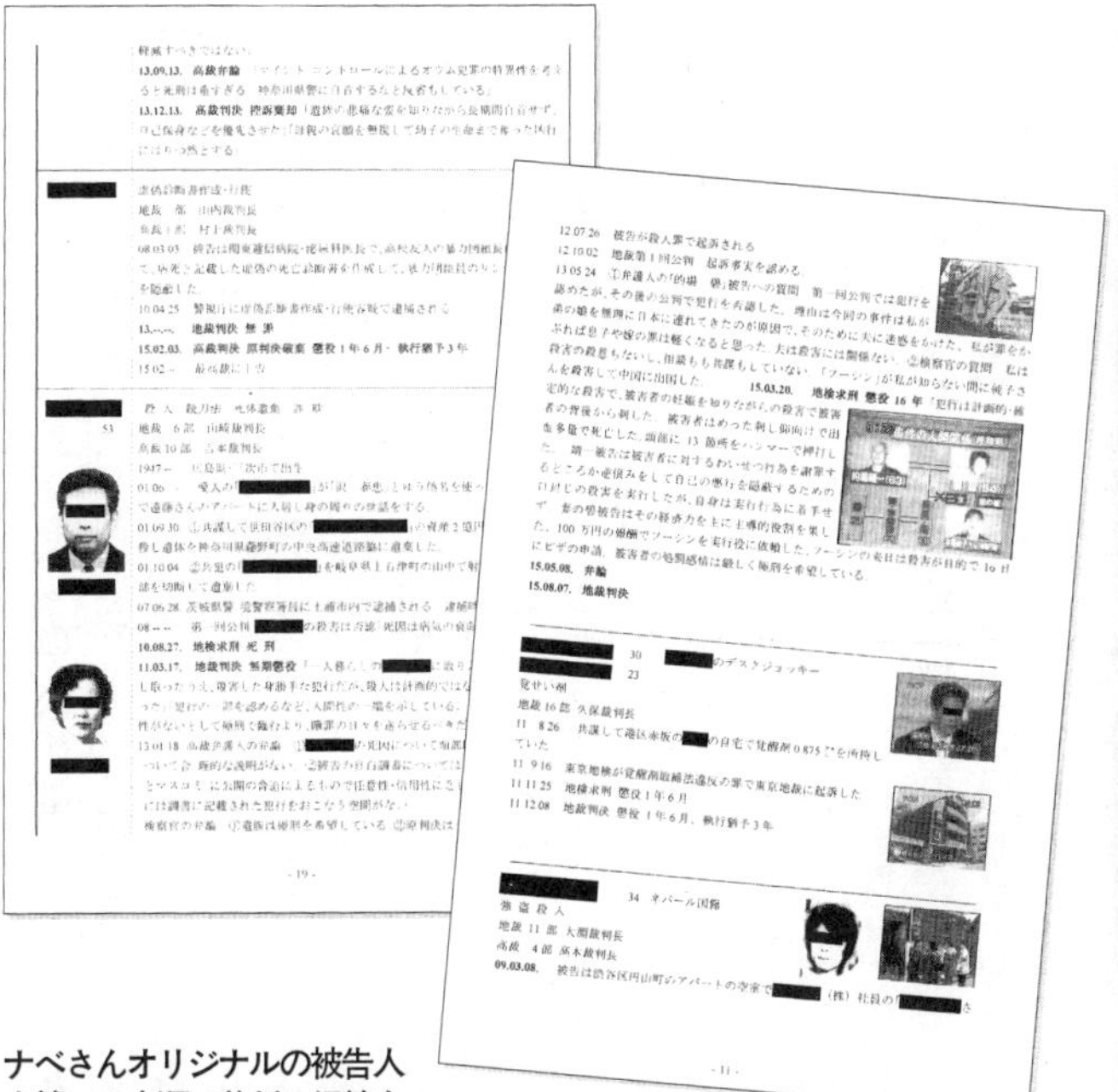

13.09.13.　高裁弁論

13.12.13.　高裁判決　控訴棄却

[redacted]

虚偽診断書作成・行使

10.04.25　警視庁に虚偽診断書作成・行使容疑で逮捕される

13.--.--.　地裁判決　無罪

15.02.03.　高裁判決　原判決破棄　懲役1年6月・執行猶予3年

15.02.--　最高裁に上告

[redacted]

53

10.08.27.　地検求刑　死刑

11.03.17.　地裁判決　無期懲役

- 19 -

12.07.26　被告が殺人罪で起訴される

12.10.02　地裁第1回公判　起訴事実を認める

15.03.20.　地検求刑　懲役16年

15.05.08.　弁論

15.08.07.　地裁判決

[redacted]　30　[redacted]のデスクジョッキー

[redacted]　23

覚せい剤

地裁16部　久保裁判長

11.9.16　東京地検が覚醒剤取締法違反の罪で東京地裁に起訴した

11.11.25　地検求刑　懲役1年6月

11.12.08　地裁判決　懲役1年6月、執行猶予3年

[redacted]　34　ネパール国籍

強盗殺人

地裁11部　大淵裁判長

高裁　4部　高木裁判長

09.03.08.　被告は渋谷区円山町のアパートの空室で[redacted]（株）社員の[redacted]さ

- 11 -

ナベさんオリジナルの被告人名簿。50音順で裁判の経緯も詳細に記録されている

れたんですから。

北 え、売ったんですか？

山 ナベさんは紳士だから、差し上げてましたよ。でも、ほしい人にとっては強力な資料だよ。ヤクザに渡したら喜ばれる（笑）。

ナ （耳を貸さず資料を示し）この辺がさっき話が出た札幌の裁判長。で、こっちが青森。あとは……。

尾 事件そのものよりも人間関係とかに興味が移ってますね。

山 それはあるね。女優とか野球選手にファンがいるのと同じで、我々は検事や裁判官の人事に反応するの。

ダ ときには担当する裁判官、検事、弁護士がどういう経歴で、何年にどんな事件をやってどうなったとかまで調べますよ。

笹 私はやっぱりサラリーマン出身だから、その人の仕事ぶりはどうだとか、そういうことを自分に置き換えて、すぐに見ますよね。この裁判官はいま案件を抱えすぎているから、この事件をじっくり審理できないだろう、なんて具合にね。

山 まあ、被告にもひどいのがいるから裁判官も大変だよ。字が読めないと言い通したのがいたな。

北 字が読めないから犯人じゃないということではなくて、同情を買って罪を軽くしたいわけですか。意味ないだろうに。

山 50過ぎのオヤジで利口そうな顔してるんですよ。でも、読めないことにした。

ダ 字が読めないとか耳が聞こえないというテクニックを使うのが多いですね。耳が遠い被告のときなんか廊下に聞こえるほど大声出して裁判官がしゃべってますよ。

笹 今日見た事件は夫が妻をネクタイで絞

殺したというのだったんだけど、全面的に罪を認めたとなると、妙にサッサと審理を進めようとしているフシがあるんです。人が人を、しかも夫が妻を絞め殺すには、よほどの事情があるはずでしょ。本来なら、裁判官はもっと事件の背景を探ってから結論を出すべきじゃないかと思うんですよ。私はどうもそのあたりに疑問を感じるんです。

ダ　笹さんはマジメだから。私はいつのまにかスレちゃって、そんな純情な気持ちはどこかにいっちゃいましたよ。

悪夢の始まりですね。おもしろそうだ

北　いままで傍聴された裁判で思い出深い事件をお話しいただきたいんですが。

山　岡下は悪かったね。広島の食肉業者で。

ダ　89年の、杉並の方南町で遠藤ウメさんを殺した事件。

山　法廷に入ってきたときは真っ青。それが、てっきり死刑だと思ったら判決が無期懲役でね。その瞬間、顔に血の気が戻った。あれは見ていて固唾を呑んだ。結局、高裁で逆転して死刑決定になったけど。あれは裁判官も失敗だったな。

ダ　兄が経営する食肉業者を手伝ってて、パートにきていた奥さんといい仲になって、駆け落ち同然に上京するんですよ。

北　事件の幕開けだ。

山　すごい男だよ。土地持ちの一人暮らしおばあさんであるウメさんに目をつけて、まず愛人に駐車場を借りさせるんです。で、どこ行ってきましたでお土産、遊びに行きましたでお土産、ってのを半年間続けたそうだよ。そしたらウメさんが「そんなにう

ちにきてくれるんなら、私と一緒に住もうよ」と言ったそうだ。そんで家にあがりこんで岡下を引っ張りこむことに成功。岡下はウメさんに保険をかけて殺し、共犯者まで殺って1億数千万せしめようとした。

ナ いま最高裁で争ってる。（平成17年3月3日、最高裁で上告が棄却され、死刑が確定した）

北 しかし皆さん、記憶力がいいですねえ。

ダ 北尾さんね、傍聴はただ漠然とあっち見たりこっち見たりじゃだめですよ。そりゃ素人のやること。

山 10年ほど前にあった東京の大金持ちの事件も印象的だった。被害者は駅まで行くのに他人の土地を歩く必要がないほど大地主の息子でね。親父がなくなって財産整理したところ、大量の株が出てきた。

北 悪夢の始まりですね。おもしろそうだ。

ダ 証券会社で投資などしていたんだけど、やったことないから負けてばかり。その息子にヤクザの企業舎弟（パチンコ屋経営者）が目をつけた。はい、山さん、続きをどうぞ。

山 どうやって取りつくか。女を使ってみたり、趣味を調べたりして作戦を練るんだね。そして、息子が旅行に行くとき、同じ航空券を買うんです。で、香港に行く飛行機のなかで偶然会ったっていう雰囲気を作り、名刺交換をする。もちろんヤクザどころか青年実業家に見えるわけです。東京でまた会いましょうと別れ、だんだん親しくなって、気を許したところで、株の借金を取り戻すには日銭商売だといって、パチンコ屋を作らせちゃう。

ダ でもあなたには世間体もあるでしょうから、便宜上、私が社長になりましょう。

もちろん金はあなたのものですよ、と。

山　うまいこと丸めこんで、どんどん吸いあげる。金が儲かるどころか、このままでは実家の財産を乗っ取られる。危機感を募らせた息子はどうするか。殺し屋を探すんだ。けれども見つからず、幼なじみに殺しを依頼することになる！　さらに複雑なことに、ヤクザの愛人が寝返って、部屋に殺し屋を招き入れちゃうんだ！

北　古い話を、よくそんなに生き生きとしゃべれますね。

尾　あの、結局、判決は？

山　15年のところ、未亡人に4千万払って、2年ほど短くなったかな。もう出てきてるかもしれんが、気の毒だったよ。いや本当に、人間なんてどこでどうなるかわかったもんじゃないんだよ。こういう事件を傍聴して家に帰ると、女房がテレビドラマなんか見てるじゃない。もう、バカじゃないかとね。そうそう、あともうひとつはね、ふたり殺して判決が17年という名裁きが……

(15分間独壇場)。

10年間、ウソを通し続けた男

北　皆さん、裁判ウォッチャーとしてどのあたりをチェックしてるんですか。

山　あの証人のしゃべり方はヘタだとか、検事の追及は生ぬるいとか、あの弁護士は8万円の法廷料金だけが目当てだとか。

北　弁護士には一公判いくらってのがあるんですよね。被告に面会もせず法廷で初顔合わせしてるようなひどいのがいるもんな。

ナ　(再び資料を持ちだし)判決でもコロコロ変わるケースがあるからね。これなんか(指さして)求刑が無期で判決が無罪、それが高裁でまた無期懲役になっちゃった。天国と地獄ですよ。さらにこっちは求刑が死刑で判決が無期。被告がホッとしたところに検察側が控訴して高裁で死刑。私が被告だったらと思うと、これでいいのかと思いますよ。

北 薬害エイズの安部英《たけし》被告も、実刑判決だったのが逆転で無罪になった。

笹 あれは弁護士がうまい。弁護士にやられた事件ですね。

ナ それから忘れられないと言えば間中。

一同 おお、間中!

ダ 茨城県岩井市（現坂東市）の同級生殺人事件で亡くなってるのが2人かな。

ナ 一審（地裁）の間、やってないと言い張って、2審（高裁）の判決寸前になって「じつはやりました」。一審の間に弁護士に払った金が数千万。田畑がなくなっちゃった。

山 弁護士も悪いね。（絞りだすように）この弁護士は～悪かった。

ナ 解任されましたけどね。

ダ この弁護士は千葉県で市議会議員をやってた人。どうも新聞記事を見て自分から売り込んだらしいですよ。高裁にきたときには、すでに解任されてましたけど。

山 間中家は資産家で、トイレットペーパーみたいに、引っ張れば金が出てくるんだ。とうとう出なくなったと思ったら、お父さんが亡くなっちゃった。それがきっかけで人間に戻れたというか、最後の最後に真実を語るようになった。まあ、よくぞ10年もえん罪を主張してたもんだと思うよ。

ダ お母さんから、息子からの手紙を何回も見せてもらいましたよ。

北 え、手紙をですか!

ダ　あの裁判はいつも午後1時半から4時半ぐらいまでなんですよ。で、終わると弁護人と我々支援団体とで弁護士会館へ行って反省会をやるんですよ。ここのところは主張が足りなかったとかね。そのときにはやはり本音が聞けますよ。

北　ちょ、ちょっと待った。支援団体までやってたんですか。

山　そうそう、高裁から見始めた我々も巻きこまれちゃってさ。ご両親から「うちのはえん罪なんですよ、警察のでっちあげなんです」と言われてるから信じてね。「いやー、毎回きて応援しますよ」って。みんなきましたよ。

ダ　間中も親が信じ切っていることがプレッシャーになり断固否認でしょう。控え室でも被害者より加害者サイドが元気で、お母さんが「うちの子はやってないから」でしょ、私らもダマされましたよ。

尾　裁判を見ていても、本当に無罪だと思えたんですか。

ダ　思いました。拘置所から書いた手紙にも「お父さんお母さん、オレはやってないんだ」とあるし。

ナ　検察は「金に困っての犯行」と言うんです。でも、甘やかされていた間中は金持ち。動機がないんですよ。しかも、共犯者がいたんだけど、これも10年、口を割らなかった。男の友情でね。

笹　私も傍聴を開始したばかりの頃だったんですが、間中の事件はショックでした。何しろ10年間でしょう。人間ってこんなにウソがつけるものなのかって。

ダ　判決が下りたとき、お母さん、裁判所に向かってだけじゃなく、傍聴席に対しても土下座しましたよ。あれは可哀想だったた

（マニア諸氏大興奮でしばらく収拾つかず）。

ナ　だけど、裁判が盛りあがるのは、やはり否認でしょ。見るならそっちがおもしろい。逆転だってあるし。

北　オレは逆転無罪さえ、未体験なんですよ。それにしても、事件とは無関係、しかも一審は茨城で行われているから聞いてないのに、そこまでディープに関わるとは、ほとんど一線を越えてますね。アセるなあ。早くオレもそんなチャンスをつかみたい。

嫌われ役をやる検事の方が正直だ

尾　弁護士の話が出ましたが、一般的に敵役のイメージがある検事はどうですか。

ナ　弁護士は商売でやってる感じの人が多いですよね。長引けば長引くほど金になる。でも、（公務員である）検事はそうじゃない。

山　私は傍聴を始めるまで、弁護士は優しいけど、検事ってのは悪い人だと思ってた。先輩に検事になったのがいて「なんでそんなものに」と言ったら「キミみたいなやつがいるからいけないんだ。何を言うんだ」と怒られた。先輩が検事になった頃は、身替わり犯などザラだったそうだよ。金で刑期を買うのが明治から昭和の初期まではあたりまえだった。そんなことでは良くないと思って、検事になったそうなんだ。弁護士が正義の味方だなんて思ったら大間違いだ、と言われたたね。それを頭に置いて見たら、確かに弁護士のほうが金儲け主義でズルい。

ダ　北尾さんね、人間の一番弱いときに付けこむような職業は、どっか怪しいところがあるよ。お金いらないっていうなら別だけど。

笹　ひどいのがいるからね。国選弁護人になって裁判が長引けば、そのつど国から金が入ってくるっていうんで、思い切り引き延ばし作戦やっててね。

北　被告がやったことはわかってる。反論の材料もない。そこを強引に、検察側の証人を何度も呼んで揚げ足取りしてみたり。明らかに税金の無駄。あれ何とかできないのかな。

ダ　検察はあまり好きじゃないけど、私もああいう手合いのときだけは同情する。

山　嫌われ役をやる検事のほうが正直だね。

北　だいたい着てるものが違う。弁護士の方が断然パリッとしていて儲けている感じ。もちろん出世欲や名誉欲はあるだろうけど、基本は正義感で、少なくても金銭欲で検察官になる人はいないと思う。

ナ　（唐突に）強姦。あれはほら密室でしょ。目撃者がいないでしょ。だから何が真実かわかりにくいわけよ。と、金の問題になってくる。たくさん金を払えば示談になって執行猶予になるものが、払えないと実刑でしょ。けっこう、いい加減なんだよね。

山　金があれば援助交際で終わるものが、なきゃ強姦なんてことが実際にあるんだから。

北　えーと、検事の話とそれは何か関係が？

ダ　強姦罪で訴えられた、都議会の福島議員（辞職）も、求刑3年のところ、600万の示談金を出して高裁で執行猶予を買ったようなもんでしょう。600ですよ！　オレだったら実刑で行くよ、2年半か3年だったら。

北　……関係ないですね。わかりました。福島問題、強姦か和姦かはっきりしないけど、やった後で女がタクシー代を要求したのをケチって断ったために訴えられた事件。ぼくも1回目は見ましたが、そうか、そんな展開になってたのか。

ダ　北尾さんの悪いところは、最後まで見ないところなんだよ。

尾　それじゃだめですよね。

ダ　我々はね、事件があって逮捕された時点で、新聞記事などのコピー取っておくんですよ。で、だいたい2カ月後には裁判所で公判予定を調べ、傍聴を開始するんです。興味があれば見続けて、判決までしっかりと聞く。こういったことを我々はみんな、やってるわけだから、詳しくもなるんですよ。北尾さんの場合はあちこち見るけど、腰が据わらないきらいがあるね。心構えがなってない（笑）。

北　返す言葉もありません……。

ダ　しかも、ひとりで効率の悪い動きばかりしてるんだな、この人は。我々に相談すれば、情報でも何でも手に入るのに、まだちょっと遠慮してるね。裁判官、検事、司法記者あたりといくら仲良くなれたとしても、みんな3年もすれば異動するんですよ。ところが我々だけは動かない。信頼を裏切らないかぎり、我々はいくらでも情報を提供します（笑）。

尾　ナベさんのデータ以外にも、マスコミから何か依頼されることってあるんですか。

ダ　ありますよ。私は以前、2年間ですが、あるジャーナリストのデータマンやってました。

尾　ほう。

ダ　情報提供して飲み代の足しにすることもたまにありますよ。27～28歳の若い記者なんか、ここじゃ我々にかなうわけないじゃない。人生の機微を知り、子供の2、3人も育ててきたような人間が、ここでは強い。

山　北尾さんも、2年じゃまだまだだね。パッと部屋に入って被告人が素直になってるか争ってるかが気配でわかるには5年かかる（笑）。

判決を言い当てる自信はあります

北　いま裁判員制度の導入が検討されていますが、あれについてはどういう意見ですか。

ダ　あれはぜひやってほしい。

ナ　だめだよ民間が入んなきゃ。風を少し入れなきゃね。日本の裁判は、自白重視でしょ。傍聴してると被告がしょっちゅう強制的に自白させられたとやってる。こんなことを、ずっと繰り返しているんですよ。これじゃだめだ。

山　弁護士を側に置いてやるならいいけど、完全に隔離して、これを言えば飯食わせるよ、おまえの女に会わせるよ、と言えばやってなくてもやったというヤツが出てくるんじゃないの。

ナ　民間を入れてごらんなさいよ。無理な自白をやっても、裁判員が認めなければ証拠にならないんだもの。そういう制度になればいいと思いますよ。

北　笹さん、どうですか、依頼があったらやってみたいと思いますか。

笹　そりゃ、見てると自分が裁判長になっていますよね。さっきも言ったように、いまの裁判がスピードを重視するあまりに充分な審理がされてない気がするし、それが改善される方向でまとまればいいんですけどね。

ダ　やはり取り調べからすべて録音か録画すべきですよ。

北　裁判員になったとして、傍聴マニアの能力はどうなんでしょう。たとえば、事件の概要から判決を予想したとき、ほぼ当てる自信ってありますか。

全員　ええ。

ダ　多少の誤差はあっても、だいたいハズさないですよ。こんなこと言っちゃなんだけど、裁判官から「私に代わって判決の言い渡ししてくれる」と頼まれたら、いつでも代わってあげますよ。

北　裁判員制度、スタートしないですかね。このメンバーでやったら、かなりいい審理になりそうじゃないですか。

ダ　やりたいねえ。

★

山　我々が作っている会で「霞ヶ関倶楽部」というのがあるんですが、まあこれが東京地裁の傍聴メンバーではもっとも目の肥えた面々でしょう。

北　傍聴エリート集団だ。そんな会まで作ってるんですか。

山　平成10年設立かな。何をするわけでもないんだけど、月に2回は飲みに行くね。今日、会長がくる予定だったんだけど、昨夜足をくじいちゃって。

尾　どこで飲むんですか？

ダ　おもに、ここですね。まさか○○省の地下にこんな店があるなんて思わないでしょう。ここで飲むのが快感なんですよ。

北　銀座なんかよりここがいいんだ。

山　そう。我々の会は金払いがいいからねえ。ほらウエイトレスの女性も、我々には愛想いいでしょう（笑）。

霞ヶ関倶楽部会則

平成１０年２月１日 制定

第1章　総　則

「名　称」
第１条　本会は霞ヶ関倶楽部（以下「倶楽部」という）と称する。

「目　的」
第２条　倶楽部は東京地方・高等裁判所において、刑事裁判を通して、知識の向上と、情報の交換、親睦を図る。また傍聴者の枠を越えることなく権利の行使をする。

「事務所の所在地」
第３条　倶楽部は事務所を東京地方・高等裁判所建物内に置く。

「倶楽部の業務」
第４条　倶楽部は第２条の目的を達成するため、次の業務を行う。
「１」倶楽部員への知識の向上と情報の伝達に関すること。
「２」倶楽部員への親睦に関すること。
「３」その他、第２条の目的達成に必要な一切の業務。

第２章　倶楽部員

「倶楽部員の資格」
第５条　倶楽部員は正会員とする。

「入会の手続き」
第６条　倶楽部に入会するときは、会員、総員の賛成を以て入会を許可する。

「資格の喪失」
第７条　「１」東京地方・高等裁判所当局に対して、迷惑になる行為をした場合。
「２」会員のプライバシー等を侵害した場合。
「３」事件当事者及び家族に対して失礼な行為をした場合。

第３章　役　員

「役員の構成」
第８条　倶楽部には次の役員を置く
「１」会　長　１名
「２」副会長　１名
「３」総務委員　１名
「４」広報委員　１名

「役員の資格」
第９条　役員はすべて正会員でなければならない。

「役員の任期」
第１０条　役員の任期は１年とする。ただし、再任は妨げない。

「役員の選出」
第１１条　役員は総会においてこれを選任する。

第４章　会　議

「会　議」
第１２条　倶楽部は下記の会議を持つ。
１．総　会

「総　会」
第１３条　総会は定期総会と臨時総会とする。
２．総会は毎年一回１２月に、また臨時総会は必要があるときに、会長が召集する。

「総会の成立」
第１４条　総会はクラブ員の３分の１以上の出席によって成立する。

「総会の議決」
第１５条　総会の議事は、前項に基づく出席者の過半数をもって決定する。可否同数の場合は議長がこれを決する。

以　上

- 1 -

会則まで発行するあたり、やはりこの連中、タダモノではない

尾　会員はほかにどんな方がいらっしゃるんでしょう。

ダ　何か重罪を犯して刑務所にトータル17年も入ってた人がいましたよ。現役のヤクザで、週に2回、必ずきてた。

尾　ほぉ〜。

山　話がまた興味深かったね。網走は寒くて寒くて、とても寝られないとかさ。組長の世話でマンションの管理人やってるって言ってた。それが忽然と消えちゃって。よく話しただけに気になるね。

ダ　きっと組のためにまた3年とか5年とか務めに行ってるんですよ。ムショに入ったら、何があってもガマンだって言ってましたよ（しんみりと）。

山　もうひとり、70過ぎたヤクザもいたね。あの人もパッタリこなくなって心配だね。いちおう苗字だけはわかってるから、注意して見てるんだけど。抗争関係。

ダ　他にもいろんな人がいたけど、ある日突然こなくなるんですよね。で、また新しい人が加わって、会が続く。どうですか、北尾さんも入りませんか。

北　え、霞ケ関倶楽部に入れてもらえると？

笹　本が出ても傍聴は続けて行くんでしょ？

北　そのつもりですが……。

ダ　じゃあ問題ない。せっかくこうやって知り合えたんじゃないですか。長い付き合いをしましょうよ。

北　……（感激）

おわりに

裁判員制度を導入する動きが出てきて、日本の司法も転換期を迎えようとしている。おそらく、制度には賛成でも、自分が裁判員になるのはイヤだと答える人が大半らしい。裁判の現場を見た経験がない人が多いせいだろう。

それでも徐々に裁判への関心が高まろうとしているところへ、こんな傍聴記を出すことになってしまった。役に立つのかと問われれば「それは、どうだろう」とでも答えるしかない。だが、いま行われている裁判の雰囲気はこんなもんだという実例集にはなっているはずで、新聞やニュースの裁判制度論争でもっとも欠けているのはそこではないか、とは思う。法律に詳しくなくても、見ることで実感としてわかってくることはあるはずだ。

さて、この裁判傍聴記は、月刊『裏モノＪＡＰＡＮ』に《人生劇場》というタイトルで連載されたものだ。担当は本書にも何度か登場するオガタこと尾形誠規編集長で、彼とは以前、やはり同誌連載をまとめた『キミは他人に鼻毛が出てますよと言えるか』なる単行本を作った。このときの連載タイトルは《３６５歩のマーチ》。内容は、できそうでできなかったことを実行に移した結果をまとめたものだ。この後、エロじじいをインタビューし、若造では真似のできないライフスタイルにセマる《ニクい貴方》なる短命連載を経て始まったのが、《人生劇場》である。

何か一貫しているようであり、でたらめなようでもある流れだが、開始当初は長く続くなどとは思っていなかった。ぼくは念願の企画だった《ニクい貴方》があっけなく打ち切りになりへコんでいたのだ。

オガタから「裁判の傍聴はどうだ」と言われて引き受けたものの、正直なところ自信などなかった。知人が裁判をしていたというだけでは動機としては弱いし、じっと座っているのも苦手。まして自分は普段、ワイドショーなどまったく見ない人間で、野次馬根性も強いほうではない。傍聴に興味が持てなければ、うまくいくはずがない。

初傍聴の日、「盛りあがらなかったら、まぁ、そのとき考えよう」とオガタに言われ、今度失敗したら、創刊以来続けてきて愛着のある『裏モノJAPAN』の連載も最後になるだろうと緊張した。やってみたら傍聴はおもしろく、たちまちハマってしまったわけだが、あのときの気持ちを思うと、こうして単行本のあとがきを書いているのが不思議なくらいだ。

白紙状態からノロノロと裁判に慣れていこうとしていたぼくにとって、傍聴マニアとの出会いは衝撃的だった。基本的な知識を教えてもらえたのもありがたかったが、より参考になったのは、事件への目の付け方。同じ公判を聴いても、それぞれ関心のもち方が違うのである。それまでは、どうしても判決に気を取られがちだったのだが、ある人は弁護人のテクニックに詳しく、またある人は裁判官の個性を知り尽くし、判決を読み切ることを生きがいにしている。ダンディ氏など、最大の関心事は《法務省の人事》と言い切るほどだ。

本書に登場するのは数名の傍聴マニアだが、ほかにも数多くの方々のお世話になっている。ぼくには彼らの話を聞くことぐらいしかできないのに、いつも最新情報と的確なアドバイスを提供していただいた。心から感謝します。今後ともよろしく。

平成15年11月　　北尾トロ

文庫版あとがき

朝起きて顔を洗い、コーヒーを飲みながら、さて今日は何だっけ、と考える。メモ帳をめくり、傍聴ごとに記した次回公判予定を見返すが、追いかけている裁判の審理や判決はなさそうだ。

午後からは仕事の打ち合わせがあり、時間が自由にならない。ということは午前中、10時から正午の2時間だけが傍聴タイム。見応えのある新規の事件に遭遇する確率は、せいぜい25パーセントだろう。どうするか。

1時間後、やはり可能性に賭けたくて地裁の入り口に到着。荷物検査を終え、足早に本日の開廷予定表に目を通す。傍聴券の出る大事件はないようだ。ほとんどが傷害、外為法違反、不法滞在、大麻取締法違反あたりで、めぼしいものが見当たらない。強制わいせつがあるが、継続審理だから細かい事情がわからないだろう。気がすすまない。高裁も午前中は寂しいかぎり。ほとんど審理すら行われない。

仕方がない。詐欺か窃盗事件で手を打とう。

下は食堂の食い逃げから、上は被害額が億単位のものまで、詐欺は幅が広く、たまにソソられる事件があるのだ。いつかは、まだ見ぬ結婚詐欺事件を傍聴したいという小さな目標もある。窃盗事件も、そこに至る過程が独特なものがときどきあって、いろいろと考えさせられてしまうことがあるから油断がならない。

しかし、どちらも運頼み。法廷に入ってみないと、審理が始まってみないと、内容はわからない。まあ、たいていはハズレだ。メモすら取る気になれない公判は非常に多い。

その結果、どうなるか。ものすごく中途半端な時間に〝何もすることがない状態〟へと追い込まれてしまうのである。

午後からは用があって家や仕事場に引き返す時間的余裕はなく、裁判所周辺には気の利いた喫茶店など皆無。12時まで、ここにいるしかないのだ。

孤独である。

いったい自分は何をしているのかと思う。

こなければ良かった。こうなることは十分予想できたはずだった。激しい後悔の念がぼくを襲う。呆然とした気持ちでロビーのソファに座るが、知り合いなど誰もきていない。そりゃそうだ。事前の情報収集がカンペキな傍聴マニアたちが、こんな何もない午前中に出動してくるはずがない。

だったら、自分もそうすればいいではないか。その方法はわかっているし、マニアに尋ねればたちどころに有力裁判の公判日程も教えてもらえるのだから。北尾は進歩がない、雑誌連載中も、単行本が出てからも、多くの人にそう言われた。同じところをぐるぐる回り続けている、とも言われた。

おっしゃるとおり。自分でも、それはよくわかっている。

だが、どうしてもそのようにはできないのである。効率的に動けば動くほど、名もない犯罪者が犯した取るに足らない、けれど何か猛烈に引っかかるところがある事件にめぐりあう可能性が少なくなるからだ。ポッカリ時間が空いたから裁判所にでも行くか、と考えるようなことも減っていく。ぼくにとって、それは生活がつまらなくなるに等しいことなのだ。

それに、運任せの傍聴には、ときに逆転ホームランがある。

裁判所で〝何もすることがない状態〟になって30分。ソファと喫煙所を往復することにも飽き、時間つぶしのつもりで適当な公判を覗きにいく。期待値ゼロのそんなとき、とてつもなくおもしろい事件にブチ当たったりするのだ。その驚き、シビレるような喜び。ぼくにとっては、新聞をにぎわす大事件や著名人の裁判より値打ちがある。

この本に収録した事件のうち、おそらく半分以上は、そんなふうにして偶然出会ったもの。いまここで聞き逃したら、新聞でもネットでも、二度と知ることはできない。そんな興奮に包まれて、だるいムードが漂う傍聴席でひとり激しくサインペンを動かした結果である。

いうまでもなく、ここにあるのは裁判所のほんの一断面でしかない。ぼくにとっては最高の人間ドラマに思える公判が、他の傍聴人にとっては平凡な事件でしかなく大半が途中退席することもある。また、その逆もある。裁判がどんなものかを知るには、結局のところ、自分で足を運んでみるしかないだろう。おもしろい裁判はどれか、ではなく、どういう裁判に興味を惹かれるかで、自分というものがうっすらとわかってくるのだと思う。

裁判に詳しい人から見たら、被告人を被告と書くなど、本書には粗い部分が目につくかもしれない。文庫化に当たって訂正することも考えたが、意味の通らないところや明らかな間違いを除き、最小限の訂正にとどめさせていただいた。

素敵な解説を書いてくださった角田光代さん、イラストレーターの宗誠二郎さん、文春文庫編集部の池延朋子さん、ありがとうございます。

２００６年５月　　　北尾トロ

解説

角田光代

半年ほど前のことである。夕食を終えテレビを見ていたら、いきなり消防車とパトカーのサイレンが鳴り響きはじめたことがあった。何があったのかとベランダから下の通りを見てみると、なんと、通りは何十メートルにもわたって消防車とパトカーの列。そして黒山の人だかり。しかも全員、私の住むマンションを見上げている。そんなところへ私が顔を出したものだから、ほぼ全員の視線が私に集まった。私に向かって手をふる人もいる。何が起きているのかさっぱりわからない。

ひょっとしてマンションのどこかが火事になっているのかも、とあわてて部屋を出た。するとなんということ、マンションのエントランス一帯に、キープアウトの黄色いテープがはりめぐらされ、警官が何人も立っている。

事情をさぐるべく部屋を飛び出し、マンションのあちこちでせわしなげにうろつく刑事や警察の様子を観察するも、だれも私の相手などしてくれない。エレベーターで乗り合わせた地元のお巡りさんに「何があったかわからなくて、こわくて部屋にいられない」と大げさに訴えたところ、人のよさそうなお巡りさんは事情を教えてくれた。なんでも自宅マンションの自室に放火した男が、そのまま私の住むマンション屋上に籠城しているらしかった。

私はもう一度外に出ていって黒山の人だかりに混じり、自分ちの屋上が見えるかどうか目を凝らしてみたが、なんにも見えない。人だかりの人々は何を見ているのか、といえば、じつはなんにも見ていなかったのである。ただみんながそこに立ち止まって見上げているから、同じ方向を見上げているだけだった。しかも、ざわざわと知らないもの同士会話する内容を聞いていると、だれも何が起きているのか知らない。自殺じゃないの？　自殺だってよ。ええ、火事でしょう？　焼身自殺だって……というふうに、口から口へ、どんどんへんな方に話は進んでいく。ああ、さっきベランダから下を見下ろしたとき、みんな私が自殺すると思ったんだなあ、だから手なんかふっていたんだなあ、と思いつつ、「違うんですよ、自室に放火した人が今……」と、知らない人相手に私は熱心に漏れ聞いた真相を伝えていた。数時間後、籠城男は無事保護され、夜中には人だかりもパトカーもキープアウトもみんな、なくなった。

事情はわかったけれど、詳しいことはなんにもわからない。籠城男はなぜ自室に火をつけたのか？　なぜ私の住むマンションの屋上に向かったのか？　なぜそこに籠城したのか？

私は至極単純に、翌朝の新聞に出ていると信じて疑わなかった。だから翌日は早起きして、隅から隅まで新聞を読んだ。もちろんそんな事件は出ていなかった。

ああ、こんなに近くで起きた事件の内容を、私はこの先絶対に知ることがない。そう気づいたとき、ちょっと啞然とした。その絶対は、本当の絶対なのだ。知りたいと願ったところで、どうにもならない。

けれど考えてみれば、新聞の一面を飾るような事件ですら、私たちに本当のところはわからない。絶対にわからないと私は思っている。週刊誌の記事を私は信じていないし、新聞ですら、概要は伝えられるがその奥の本質までは踏みこめない。私は事件もののノンフィクションが好きで、昔からよく読むのだが、どんなに優れたノンフィクションでも、どんなに膨大な資料に基づいて書かれていても、やっぱり「わからない」一点がある。それを私たちは、わかったような気になって読んでいるのである。なぜなら、絶対にわからないことはこわくてしかたがないから。

せんじつめていけば、その事件は起こした当人にしかわかりようがない、ということになってしまう。

本書を読んでいて、はっと思ったのは、その当人の声を聞くことができるのだ、ということだった。絶対にわからないことの、その絶対を突き崩すことはできないまでも、絶対の鍵穴から向こうをのぞくことはできるんだ。限られた人だけではなく、だれにでもにそれは許されていることなんだ。

著者は、裁判なんてなんにも知らないまま、雑誌の連載をはじめるにあたって裁判所に向かう。むやみやたらに傍聴をくり返していく。裁判所にいったこともなく、やはり裁判について何も知らない私は、だから著者といっしょに、初歩の初歩から裁判を「見て」いくことができる。

恥をしのんで告白すれば、私はずっと、裁判というのは単純に被害者と加害者の闘いなんだと思っていた。そうではない、とこの本で知った。そして、裁判というのはものすごく論理的に進んでいくものだと思っていた。そうではない、とそれもこの本で知った。

著者に手を引かれ、本書を通じて裁判所の門をくぐった私は、ページをめくるごとに、その世界の奥の深さを思い知らされ、そのたびになんだか気が遠くなった。検事も弁護士も当然のことながら私たちと同じ人間であり、であるからこそいろいろ個性を持っていて、やる気のない人もいれば前歯のない人もいるし、はたまたドラマのような切れ者もおり、さらに裁判官という人たちも同様に人間であるのだから、ギャラリーが多ければ白熱するし、早く帰りたいときもあるし、え、そこまで、というような説教をはじめたりもする。

著者はそれを、ときに揶揄しながら、ひたすらにじーっと観察している。事件の大小にかかわらず、また事件の悲惨さに引きずられることなく。この一貫したクールな観察力が、裁判というものが暴く人間くささを見事に伝えてくれる。被告人の風貌、着ているもの、話し方、話の内容、弁護側の証人の様子、話と声音をまずじっくりと眺め、弁護士と検事の言葉の応酬の裏を著者は見つめる。そうしてタイトル通り「ここは懲役4年でどうすか」と、みずから判決を推測するまでに至る。

それにしても世のなかには本当にいろんな事件があるものである。著者は裁判所に通った二年間で、お受験殺人と呼ばれた音羽幼児殺害事件や、タバコ屋の老女二人をはじめ四人を殺害した男の事件、オウムの麻原など、だれもが知っている大きな裁判も傍聴している。しかし著者がもっとも興奮して書いているのは（そのように見えるのは）、事件の内容にかかわらず、その場に人間性がどうしようもなく露呈してしまうような裁判である。裁判所に通ううち、著者は傍聴マニアを通り越して、人間マニアというべきものになったんだろうと想像する。

本書を読んでいて思うのは、わけのわからない人間が多すぎる、ということである。わからないのは事件ではなく、人間なのである。

たとえば、第十一幕で取りあげられている、一九九八年に起きた女性刺殺事件。女性の元交際相手が、ふられた腹いせに彼女の殺害を友だちに依頼した事件である。この、利用された友だちが何を思っていたのか、さっぱりわからない。裁判の席で、他人事のように「やったのは自分ではなく友だちである」とくりかえす被告人もわからないといえばわからない。

それだけではない、子どもがいながらくりかえしドラッグに手を出す女性。三人でつまみとビール十九本の無銭飲食でつかまった、所持金ゼロの男性。入院中の老女の家に三カ月無断侵入し続けたホームレスの女性。いったいどうしてそんなことになるのか、わけのわからない人ばかり出てくる。

この、人間のわけのわからなさは、おそらくふつうに暮らしていて出会える種類のものではない。もちろん、友人や家族だって理解できないことはたくさんある。けれどそのわからなさは、想像の枠内におさまっている。だから私たちは社会という他人だらけの世界でなんとか暮らしていける。ところが本書に出てくる人々のわけのわからなさは、想像の枠をはるかに超えている。一と一を足したら二になる、という図式から大きく外れている。「うわー、どうしてそうなるんだろう」と、著者とともに幾度も頭を抱えたくなった。

著者はこの日常ではなかなか出会えない「わけのわからなさ」にいっぺんに魅せられてしまったのではないか。

では裁判にかけられる人々、なんらかの罪を犯してしまった人々というのは、日常を生きる私たちと徹底的に異なる人種なのか、私たちは裁判とはまったくの無関係でいられるのか。というと、そうでもない。著者はそういうふうには書いていない。著者が観察しているのは被告人や証人だけではない。個性ゆたかな裁判官や検事や弁護士もまた、人間マニアである著者の対象なのである。裁判所でなければ見ることの叶わない人間の一面、というものがたしかにあるのだと思わざるを得ない。

興味深いのは、裁判光景だけではなく、その周辺も著者が「傍聴」していることだ。喫煙所にくる被害者や被告人の家族、裁判所の門前に集う人々、毎回のように顔を合わせる裁判マニアの顔ぶれ、意味不明な「掃除の達人」たち。裁判光景に負けない濃さが立ちこめている。人間マニアの著者は彼らをもじっくりと観察し、ときに話しかけもする。

最後まで読み終えると、何か「人間の業」を突きつけられたような印象を持つ。たとえば著者は、被告人の服装も細かく観察して分析している。人を死なせておいてドクロマーク入りの服を着る気持ちはどうしたって私にはわからないが、しかし、その人はそうとしかできないんだろうなあ、と妙に納得してしまうのである。そこで場の雰囲気を読み無地の服を着ることができれば、この人は被告人席には座っていなかったのではないか、と思ってしまう。それは事件の当事者ばかりではなく、たとえば門前で何十年も抗議行動をしている人も、仕事の合間に裁判を見にこずにはいられない人も、ギャラリーの多さに俄然ハッスルする裁判官も、そうして裁判所にはいったこともない私も、選択肢が無数にあったとしても選ぶのはじつに自分にふさわしいひとつなのだろう。そしてなぜそれを選ぶのか、他人には、いやひょっとしたら自分にも、けっして理解できないことなのに違いない。

わからない事件の鍵穴から向こう側をのぞいても、そこに見えるのはやっぱり人間のわからなさ、なのかもしれない。しかし同じ「わからない」でも、前者と後者はまったく異なる。鍵穴の向こうの人間のわからなさこそが、ひょっとしたらその事件の本質と言えるのではないか。

近く日本は裁判員制度を導入する。いつか私たちのところにも、裁判員の役割がまわってくるようになるのだろう。多くの人が困惑するに違いない。私はずいぶん前からそのときを想像して困惑していた。だからこの本に会えてよかったと思う。

裁判というものが、私たちと遠くかけ離れた異世界のものではないと伝えることで、この本は確実に困惑を目減りさせてくれるはずである。

（作家）

単行本　二〇〇三年十一月　鉄人社刊

※「裏モノJAPAN」に連載された『人生劇場』(二〇〇一年十月号〜二〇〇三年十月号)に加筆、書下しを加えたものです。

文春文庫

裁判長《さいばんちょう》！　ここは懲役《ちょうえき》4年《ねん》でどうすか

定価はカバーに
表示してあります

2006年7月10日　第1刷
2023年6月25日　第28刷

著　者　北《きた》尾《お》トロ
発行者　大沼貴之
発行所　株式会社　文藝春秋

東京都千代田区紀尾井町 3-23　〒102-8008
TEL 03・3265・1211(代)
文藝春秋ホームページ　http://www.bunshun.co.jp

落丁、乱丁本は、お手数ですが小社製作部宛お送り下さい。送料小社負担でお取替致します。

印刷・大日本印刷　製本・加藤製本
Printed in Japan
ISBN978-4-16-767996-5